A CRIANÇA DIGITAL

A CRIANÇA DIGITAL

Ensinando seu filho a encontrar equilíbrio no mundo virtual

GARY CHAPMAN
ARLENE PELLICANE

Traduzido por Maria Emília de Oliveira

Publicado originalmente por Northfield Publishing Group, Chicago, Illinois, EUA.

Os textos das referências bíblicas foram extraídos da *Nova Versão Transformadora* (NVT), da Editora Mundo Cristão (usado com permissão da Tyndale House Publishers, Inc.), salvo indicação específica.

Edição
Daniel Faria

Preparação
Esther Alcântara

Revisão
Natália Custódio

Produção
Felipe Marques

Colaboração
Ana Luiza Ferreira

Diagramação
Aldair Dutra de Assis

CIP-Brasil. Catalogação na publicação
Sindicato Nacional dos Editores de Livros, RJ

C432c

Chapman, Gary
A criança digital: ensinando seu filho a encontrar equilíbrio no mundo virtual / Gary Chapman, Arlene Pellicane; tradução Maria Emília de Oliveira. — 1. ed. — São Paulo: Mundo Cristão, 2020.

Tradução de: Growing up social : raising relational kids in a screen-driven world
ISBN 978-65-86027-01-3

1. Internet e famílias. 2. Internet e crianças. 3. Internet - Aspectos sociais. 4. Parentalidade. 5. Computadores e famílias. I. Pellicane, Arlene. II. Oliveira, Maria Emília. III. Título.

20-63191 CDD: 302.231
CDU: 316-776.3:004.5-053.2

Categoria: Família
1ª edição: maio de 2020 | 2ª reimpressão: 2024

Publicado no Brasil com todos os direitos reservados por:

Editora Mundo Cristão
Rua Antônio Carlos Tacconi, 69
São Paulo, SP, Brasil
CEP 04810-020
Telefone: (11) 2127-4147
www.mundocristao.com.br

SUMÁRIO

INTRODUÇÃO

REASSUMINDO O CONTROLE DO LAR

> "Podemos ser um lar no alto do monte, brilhando na escuridão deserta."
>
> DR. DAVID JEREMIAH

A tecnologia está unindo ou desunindo sua família?

Joseph e Amanda têm três filhos: de 1, 6 e 10 anos. As crianças jogam *video games* e veem filmes e televisão o dia inteiro, exceto quando as mais velhas estão na escola. Os pais se preocupam com o tempo que os filhos passam diante das telas, mas sentem-se incapazes de mudar a situação.

"Não temos regras a seguir", disse Joseph. "Já tivemos antes, mas não conseguimos colocá-las em prática."

Você se identifica com o desânimo desses pais? Talvez no passado você tenha tentado limitar o tempo que seus filhos ficam expostos às telas dos aparelhos eletrônicos, mas os acessos de birra foram quase insuportáveis. Temos ouvido centenas de pais expressarem sua frustração ao tentar implementar instruções para o uso da tecnologia:

"Não temos regras. Nossos filhos passam muito tempo vendo televisão e jogando *video games*."

"As regras de tempo diante das telas não são declaradas; elas são implícitas, e não funcionam."

"Arrependo-me de não ter imposto regras, porque meu filho não tem vida social nem conversa com as pessoas face a face. Já está com vinte e poucos e vive completamente absorto diante do computador."

Você quer que seu filho adulto tenha todas as aptidões necessárias para relacionamentos fortes. O treinamento necessário para esses relacionamentos não está nos celulares nem nos *tablets*. Não existem aplicativos nem *video games* capazes de substituir os relacionamentos pessoais com outros seres humanos. As habilidades sociais precisam ser praticadas na vida real, começando com a criança em casa.

Ter uma criança sociável significa que ela saberá conversar com as pessoas e gostar delas. Ele ou ela devem ser capazes de relacionar-se com os outros e apreciar atividades com os amigos e membros da família. Ser sociável não significa apenas uma rápida conversa na lanchonete. Envolve mostrar às pessoas que você se preocupa com elas, e isso se dá por meio de contato visual, conversa e empatia. O lugar ideal para uma criança aprender a ser sociável é em casa, onde a mãe ou o pai pode ser exemplo amável de como são os relacionamentos saudáveis.

Infelizmente, uma mudança sutil em muitos lares vem corroendo o relacionamento entre pais e filhos. Por exemplo, as crianças e os adolescentes norte-americanos passam, em média, 53 horas por semana ocupados com aparelhos eletrônicos, o que significa muito mais tempo diante das telas do que interagindo com os pais ou outras pessoas.[1] Como uma criança em desenvolvimento consegue aprender a interagir com os outros se passa a maior parte do tempo diante de uma tela?

A média não está funcionando

Os adolescentes não são os únicos com tendência a ceder a pressões de amigos e conhecidos. Os pais também não tardam em comprar o aparelho digital mais moderno para o filho, a fim de manter o mesmo nível da família do outro lado da rua. As outras crianças do 4º ano têm celulares, portanto você também compra um para sua filha. Se os outros garotos estão jogando um *video game* particularmente violento, que mal há em permitir que seu filho também jogue? Você não gostaria que ele se sentisse excluído! Ou talvez se sinta culpado por ter deixado seu filho pequeno diante de uma tela algumas horas por dia, mas, afinal, todos os outros garotos estão vendo os mesmos programas.

Não é necessário muito esforço para participar do mundo digital e distrair seus filhos com aquilo que os deixa felizes (e de boca fechada). Fizemos uma pesquisa com centenas de pais a respeito de suas famílias e os aparelhos eletrônicos. Muitos disseram que, embora as telas dirijam a vida dos filhos, eles não estão preocupados. Um deles disse: "Meus filhos podem ficar diante do celular o quanto quiserem, por vezes de quatro a cinco horas por dia. Não me preocupo, e não acho que isso prejudica a dinâmica de nossa família".

A presença de telas nos lares é tão amplamente aceita que muitos pais não a consideram uma ameaça aos laços familiares. Vamos reservar alguns instantes para garantir-lhe que este não é um livro antitecnologia. A tecnologia veio para ficar, e acreditamos que você encontrará maneiras positivas de utilizá-la em seus relacionamentos. Seu filho com certeza usará *e-mails*, mensagens de texto e *smartphones* à medida que crescer. Vivemos tempos incríveis, em que podemos fazer uma videoconferência em tempo real com os avós que moram em outro país. Porém, se você não reduzir ao mínimo a vida de seu filho diante das telas nem monitorá-la, talvez ele não saiba como se comportar quando finalmente se encontrar pessoalmente com os avós.

As telas não são o problema; o problema é a frequência com que as usamos. Que atividade preenche o tempo livre de seu filho? Para a média das famílias, tempo livre é igual a tempo diante da tela. Uma coisa é reunir a família diante da televisão para assistir a uma série. Trata-se de um tempo intencional diante da tela que pode aproximar ainda mais a família. Outra coisa é clicar de canal em canal, aleatoriamente, dia após dia. Esse tempo não programado tende a ser desperdiçado e tornar-se influência negativa.

Se a família média fica com os olhos grudados nas telas ou nas mensagens de texto em vez de conversar, e usa o celular enquanto almoça ou janta num restaurante, quem deseja ser a média? Ao que parece, a norma digital não está produzindo crianças saudáveis, que se relacionam com facilidade com os outros. As telas não são novidade; os pais também passavam tempo diante da televisão enquanto cresciam. Mas nossas televisões eram grandes e pesadas, instaladas em cima de um móvel. As conversas por telefone ocorriam no interior da casa, porque o aparelho ficava preso à parede e, se fosse sem fio, o alcance da voz não passava da garagem.

Hoje, carregamos as telas *no bolso* por todos os lugares. As telas saíram dos bastidores e passaram a ocupar o primeiro plano — tanto para adultos como para crianças. Os pixels, não as pessoas, ocupam o centro do palco da família média. As crianças são como cimento molhado, e atualmente a maioria está recebendo as impressões das telas, não dos pais.

Não deveria ser assim.

As boas intenções não existem mais

Muitos pais bem-intencionados dizem coisas como:

- "A vida anda corrida; não tenho tempo para pôr em prática as regras de uso da tecnologia em casa."
- "Meu marido não apoia o que estou fazendo."
- "Meus filhos espernearam quando tentei fazer algumas mudanças."
- "É difícil demais ser persistente."

Nina tem três filhas: de 2, 4 e 6 anos. As meninas viam desenhos animados durante cinco horas por dia. O jantar girava em torno da televisão, e Nina sabia que a falta de tempo em família não fazia bem. Ela tentou desligar a televisão na hora das refeições e à noite.

No entanto, depois de apenas algumas noites de sucesso, a vida tornou-se especialmente agitada e Nina fingiu não notar quando as meninas ligavam a televisão após o jantar. Pouco tempo depois, elas voltaram ao sofá, vendo televisão na maioria das noites.

As boas intenções não levam os pais a lugar nenhum. O autor Andy Andrews escreve:

> Embora a crença popular diga o contrário, não há poder algum na intenção. A gaivota pode intentar voar para longe, pode decidir fazer isso, pode conversar com as outras gaivotas sobre como é maravilhoso voar, mas enquanto não bate as asas e não levanta voo, ela não sai do lugar. Não há diferença entre aquela gaivota e as demais. Da mesma forma, não há diferença entre a pessoa que tem a intenção de agir de modo diferente e aquela que nunca nem pensou nisso. Você já considerou quantas vezes nos

julgamos com base nas nossas intenções enquanto julgamos os outros com base nas ações deles? Contudo, intenção sem ação é um insulto àqueles que esperam o melhor de você.[2]

Mencionamos essas palavras poderosas e convincentes sobre a diferença entre boas intenções e ações para pedir-lhe que leia este livro visando encontrar ideias que sejam *úteis*. Não esperamos que você concorde com todo o conteúdo apresentado aqui. Esperamos, porém, que assimile as que se identificam com seu modo de pensar e as coloque em prática.

Embora as telas se tornem cada vez mais interativas, a curiosidade natural de seu filho é mais adequada aos cuidados de um pai ou mãe que o ajudará a entender o mundo. Voltemos à pergunta inicial: *A tecnologia está unindo ou desunindo sua família?* Acredite ou não, você pode fazer mudanças positivas para influenciar seu filho pelo resto da vida dele. A jornada para reassumir o controle do lar, que hoje se encontra nas mãos das telas, começa agora.

Para refletir

1. A tecnologia está unindo ou desunindo sua família?
2. O que você espera aprender com a leitura desde livro?
3. Quais são suas preocupações em relação ao tempo que seu filho passa diante das telas?
4. Explique a diferença entre boas intenções e ações.

1

TEMPO DIANTE DAS TELAS: EXAGERADO? CEDO DEMAIS?

"Quanto mais tempo uma criança passa diante das telas, menos tempo ela tem para interagir com os pais, os irmãos e os amigos."

DR. GARY CHAPMAN

Lily, 15 meses de idade, está sentada no carrinho de compras do supermercado, com os olhos fixos em seu *tablet*. A mãe percorre o corredor de frutas e verduras com mínimas interrupções. Em nenhum momento Lily levanta os olhos para ver a prateleira cheia das maçãs vermelhas e brilhantes de que ela tanto gosta.

Todos os dias da semana, Jason, 8 anos, zapeia na televisão após as aulas. A TV permanece ligada por cinco horas até Jason ir para a cama.

Melissa está cursando o 6º ano. No mês anterior, enviou 3.500 mensagens de texto (cerca de 110 por dia).

As situações apresentadas não são incomuns. Passaram a ser norma em um mundo infantil movido por telas eletrônicas. Não é de admirar que os pais estejam pensando seriamente em como equilibrar o uso da tecnologia com a vida cotidiana. Mães, pais e avós perguntam: "Dr. Chapman, meus filhos passam o tempo todo usando o celular ou jogando *video games*. Quando lhes dizemos que vamos fazer uma atividade em família, eles discutem conosco e voltam a concentrar-se em seus aparelhos".

Você se lembra de como eram as coisas antes dos *smartphones* e dos *tablets*? Antes da era digital, as crianças brincavam no quintal, criando os próprios jogos ou participando de brincadeiras como estátua ou esconde-esconde. As crianças aprendiam a interagir. Precisavam lidar com o fato de ganhar ou perder, de ser empurradas por um garoto da vizinhança e de solidarizar-se com o amiguinho que se machucasse. Meninos e meninas aprendiam como funciona o mundo real quando brincavam uns com os outros. Mas a maioria das crianças de hoje permanece dentro de casa durante a maior parte de seu tempo livre. Elas não têm permissão para andar nas ruas como se permitia antigamente, por causa do medo de sequestros ou outros perigos que rondam nossa sociedade. Infelizmente, quanto mais tempo a criança passa diante das telas, menos tempo tem para interagir com os pais, os irmãos e os amigos.

Plugadas cedo demais? Crianças com menos de 2 anos

A tentação de usar aparelhos eletrônicos para distrair bebês e crianças é mais forte que nunca. Em casa, no carro e com um *smartphone* na mão, estamos cercados pelos meios digitais. As telas estão presentes em todos os lugares, e os pais quase se sentem *obrigados* a utilizar o *software* educativo mais recente e extraordinário.

No entanto, as pesquisas e nossa experiência dizem que, quanto menor a exposição dos filhos pequenos às telas, melhor será. A Academia Americana de Pediatria (AAP) recomenda que os pais evitem que os filhos com menos de 2 anos vejam televisão e passem tempo diante de telas eletrônicas.[1] A AAP acredita que, para essa faixa etária, os efeitos negativos do uso de mídias digitais são muito maiores que os efeitos positivos. Apesar da argumentação brilhante dos vídeos e *softwares* educativos, há poucas evidências dos benefícios relativos à educação e ao desenvolvimento produzidos pelo uso dessas mídias em crianças com menos de 2 anos. Nunca saberíamos disso, é claro, se nos basearmos na profusão de produtos eletrônicos educativos que prometem produzir bebês e crianças de mente brilhante!

As crianças pequenas se desenvolvem descobrindo o mundo. Precisam sentir o mundo tridimensional de pessoas e coisas que elas possam experimentar, tocar, ver, ouvir e cheirar. Essas primeiras interações não ocorrerão se o bebê ou a criança passar tempo demasiado diante das telas. Aos 2 anos, as crianças já sabem andar, o que significa que depararão com problemas pela frente — o que é normal e saudável. Elas aprendem quais portas podem ser abertas e quais devem permanecer fechadas. Estão desenvolvendo habilidades motoras à medida que sobem e descem escadas. Durante esse importante estágio de desenvolvimento, o tempo diante de telas mais atrapalha que ajuda.

Aliás, a AAP relata efeitos adversos à saúde causados pelo uso dos meios eletrônicos na vida das crianças pequenas, direta ou indiretamente (devido ao uso dos pais). Por estarem em estágio precoce do desenvolvimento cognitivo, as crianças com menos de 2 anos processam as informações de modo diferente das crianças mais velhas. Dois estudos revelaram que assistir a um programa como a *Vila Sésamo* produz efeito negativo — não positivo — no desenvolvimento da linguagem das crianças com menos de 2 anos.[2] Embora você possa pensar que um programa de televisão ou um aplicativo de celular seja educativo para ensinar o abecedário a seu filho, não há comprovação de que essas mídias promovam habilidades de linguagem nos pequeninos. As crianças pequenas aprendem melhor a linguagem quando apresentada por uma pessoa ao vivo, não numa tela.

Um estudo de alguns anos atrás relatou que 90% dos pais permitiam que os filhos com menos de 2 anos assistissem a alguma forma de mídia eletrônica.[3] Outro estudo indicava que 39% das famílias com bebês e crianças pequenas viam televisão no mínimo seis horas por dia[4] — com efeitos negativos. Pesquisas mostram que, embora possa ser um ruído de segundo plano para a criança, a televisão quase sempre está em primeiro plano para os pais. A capacidade da criança de aprender a falar relaciona-se diretamente com a quantidade de conversa que ela tem com os pais. Quando a televisão está ligada, o pai ou a mãe tem menos probabilidade de manter uma conversa, o que resulta num vocabulário mais restrito para a criança.

Os pesquisadores examinaram crianças de 12, 24 e 36 meses e constataram que o som da televisão em segundo plano não apenas reduziu o tempo em que a criança brincou, mas também seu foco de atenção durante a brincadeira.[5] Outros estudos sugerem que a mídia em segundo plano pode interferir no processamento cognitivo, na memória e na compreensão da leitura. Apesar desses efeitos negativos, quase um terço das crianças de 3 anos possui aparelho de televisão no quarto.[6] Não é prudente que uma criança, seja qual for a idade, tenha um aparelho de televisão no quarto (leia mais sobre o assunto no capítulo 11). Muitas crianças pequenas usam a televisão como indutor do sono, embora o tempo passado diante da tela antes de adormecer esteja associado a horários irregulares e hábitos insatisfatórios de sono, que afetam o humor, o comportamento e o aprendizado.

Em vez de assistir a um vídeo com seu filho pequeno, a melhor alternativa é aninhá-lo em seus braços e ler um livro com ele. O vocabulário de seu filho aumentará à medida que ele tiver contato com os livros. Para ser um grande leitor é preciso começar ouvindo alguém ler, por isso leia em voz alta e com frequência para seu filho.

O que fazer se você permitiu que seu filho pequeno visse televisão e agora quer impedi-lo? Melissa, mãe de duas crianças de 2 e 4 anos, deseja fazer a coisa certa para o bom desenvolvimento dos filhos, mas se pergunta como colocar o jantar na mesa sem a ajuda da televisão para manter as crianças ocupadas. Apresentaremos a seguir algumas ideias para ajudar a substituir o tempo diante da televisão por tempo pré-programado para outras atividades.

Demanda esforço trocar a conveniência de passar o tempo diante da televisão por uma atividade interativa ou tátil com uma criança. Porém, os benefícios para o desenvolvimento de seu filho ou de sua filha valerão a pena. Você se surpreenderá ao ver como seus filhos se adaptarão rapidamente às novas rotinas longe das telas.

Plugado durante muito tempo?

Trevor, 8 anos, perguntou pela centésima vez:

— Mãe, todos os meus amigos têm um *video game*. Por que não posso ter um?

— Só porque todos os seus amigos têm um aparelho de *video game* não significa que seja uma boa ideia você também ter um — respondeu Donna, sua mãe.

Rabiscar. Estenda folhas grandes de papel de embrulho no chão e dê a seu filho uma caixa de giz de cera. A criança de 18 meses é capaz de segurar um giz de cera e rabiscar. Os rabiscos ajudam seu filho a aprender a fazer um tripé com os dedos para desenhar e escrever, uma habilidade que ele não aprenderá navegando nas telas.

Caixa de papelão. Monte uma caixa de papelão resistente para que seu filho possa entrar e sair dela. Dê a ele também alguns gizes de cera, se ele desejar enfeitá-la.

Armário especial de cozinha. Encha um armário de cozinha que esteja ao alcance de seu filho com xícaras e pratos, medidores, colheres e tigelas — todos de plástico. Permita que seu filho use esse armário somente quando você estiver preparando refeições, pois assim ele terá uma atividade especial para quando você estiver ocupada na cozinha.

Brincadeira com água. Se você tiver um cômodo ladrilhado em casa, coloque no piso uma tigela com um pouco de água. Dê a seu filho algumas xícaras ou colheres e mais alguns brinquedos que possam flutuar ou afundar na água.

Caixa mágica de brinquedos. Pegue um balde de plástico e encha-o de brinquedos com os quais seu filho não brinca há algum tempo. Transforme isso em momentos de diversão e alegria. Mude os brinquedos toda semana para surpreendê-lo. Seu filho realmente brincará com esses brinquedos, em vez de deixá-los de lado.

Feijões saltitantes. Essa brincadeira faz um pouco mais de bagunça. Entregue uma panela grande a seu filho cheia de feijões secos, xícaras de medida e funis. Estenda uma massa para biscoitos e peça a ele que faça desenhos com os feijões.

Embora tenha conseguido retardar o pedido do filho por dois anos, Donna começou a se perguntar se não seria o momento certo de concordar com ele. Afinal, Trevor era bom aluno. Assim, decidiu surpreender o filho no Natal com um *video game* portátil.

Não demorou muito tempo para Trevor adaptar-se ao novo sistema de jogar com as pontas dos dedos. Ele agora jogava durante a maior parte de seu tempo livre. No carro, de volta para casa após as aulas, quando a mãe lhe perguntava como havia sido o dia na escola, ele respondia com poucas palavras, brincando o tempo todo com seu *video game* portátil. Donna começou a pensar se não havia cometido um erro.

"Não imaginei que o aparelho tomaria o tempo de meu filho daquela maneira", disse ela. "Agora, quando peço que ele deixe o *video game* de lado, começamos a discutir. É difícil para ele parar de jogar durante as refeições ou na hora de estudar piano. Eu me arrependo de ter dado o presente sem ter imposto regras desde o início."

Trevor não é o único a ficar com os olhos grudados num aparelho eletrônico. A média das crianças norte-americanas de 8 a 18 anos passa mais de sete horas por dia diante dos *games*, do computador, do celular ou da televisão.[7] Aos 7 anos, a criança terá passado um ano inteiro à frente de aparelhos eletrônicos.[8]

O uso frequente de *video games* pelas crianças é especialmente preocupante pela propensão a tornar-se um vício. Os *games* foram idealizados para proporcionar prazer ao cérebro. Os participantes acumulam pontos, recebem recompensas constantes e atingem níveis mais altos. Visualmente, os jogos mudam o tempo todo para continuar a atrair a atenção da criança. Enquanto ela joga, o cérebro a recompensa com um jato de dopamina, que proporciona uma sensação de euforia (leia mais sobre o assunto no capítulo 9). Quanto mais ela joga, mais quer jogar.

Os sintomas dos viciados em *video games* são quase os mesmos dos viciados em álcool, drogas ou jogo. Os *games* começam a interferir na vida diária. A higiene pessoal é abandonada. Os compromissos, as tarefas e as responsabilidades cotidianas são deixadas de lado. Os relacionamentos familiares se tornam precários. Nada é tão estimulante ou recompensador quanto jogar.

A vida de Michael, aluno do último ano do ensino médio, girava em torno dos *video games*. Seus pais organizaram uma festa de formatura para homenageá-lo. Durante a comemoração com a família e os amigos, Michael permaneceu vinte minutos na festa antes de se retirar sozinho para seu quarto, fechar a porta e começar a jogar. Ninguém conseguiu convencê-lo a sair do quarto. Depois de uma hora, todos foram embora da festa.

Apesar de ser um caso extremo, a história de Michael ilustra o que pode acontecer quando os garotos vivem no mundo dos *games* e da internet. Ao chegar à casa dos vinte anos, eles continuam a agir como adolescentes, o que os impede de ir para o mundo real procurar emprego, relacionar-se com outras pessoas e tornar-se independentes.

O tempo excessivo diante das telas não é um problema apenas masculino. As meninas veem televisão tanto quanto os meninos. As meninas dentro da terceira faixa social mais carente são cinco vezes mais propensas a passar mais tempo diante das telas eletrônicas.[9] Garotas do ensino médio enviam em média 4.300 mensagens de texto por mês, ao passo que os garotos enviam mensalmente 2.600.[10]

E então, o que você considera tempo exagerado diante das telas para sua família? A AAP recomenda que as crianças com mais de 2 anos não excedam duas horas por dia.[11] Isso significa que, se seu filho passa uma hora diante do computador na escola, ele deve passar apenas mais uma hora em casa. Com a inclusão cada vez maior dos *tablets* nas salas de aula, torna-se ainda mais importante (e problemático) limitar o tempo diante das telas em casa. As crianças precisam de tempo para desligar-se das atividades escolares, ler, brincar ao ar livre e conversar com pais e irmãos.

Quanto ao tempo permitido para os filhos diante das telas, é somente você, pai ou mãe, que pode decidir. Duas horas por dia em geral é uma boa regra, mas para muitos pais pode parecer inviável. Embora cada família deva usar os próprios critérios para definir o tempo permitido diante das telas, todas devem estabelecer limites claros. As crianças sempre se comportam melhor se há limites bem estabelecidos. Tempo de tela requer prazos e parâmetros, para que não tome conta de todo o tempo livre de seu filho.

Meu primeiro *smartphone* e Lucy

Acredite ou não, eu (Arlene) ganhei meu primeiro *smartphone* logo depois que comecei a escrever este livro. Por que me apeguei a meu celular jurássico por tanto tempo? Como eu passava horas diante do computador em casa, não sentia necessidade de ter um aparelho portátil para receber *e-mails* e visitar as redes sociais o tempo todo. Mas, quando comecei a viajar com mais frequência, percebi que ter um *smartphone* não seria tão ruim assim. Com alguma relutância, decidi fazer a troca.

A princípio, fiquei apaixonada pelo *smartphone*. Consultava-o constantemente, várias vezes por hora. Será que chegou um novo *e-mail*? Vou postar uma foto no Facebook. Quem acabou de me enviar uma mensagem? Era ridículo. Logo percebi que precisava deixar o celular de lado para não sofrer as consequências das distrações constantes. Tomei a decisão de consultá-lo apenas algumas vezes durante o dia.

Foi então que Lucy, minha filha de 4 anos, entrou em cena. Pelo tempo que passava com as amiguinhas, ela sabia o que aquele pequeno aparelho era capaz de fazer. Sentiu-se atraída por ele imediatamente, usando seus dedinhos para acessar os aplicativos coloridos. Num lampejo de lucidez, eu disse a ela:

— Lucy, este celular pertence à mamãe. Não é seu. Não toque nele. Quando estivermos num avião, você poderá usá-lo.

Eu não havia previsto essa reação, mas entendi naquele momento que, se o celular se tornasse um objeto permitido para Lucy, ela viveria pedindo para usá-lo. Seria uma briga diária, e eu não queria entrar nessa.

Lucy pensou por um momento e disse:

— Eu viajei de avião no mês passado para visitar a vovó.

Ri e repliquei:

— Eu sei. Mas naquela época não tínhamos celular.

Lucy nunca mexe em meu celular, embora, acredite em mim, ela esteja morrendo de vontade de usar aquela câmera. O celular fica em cima de minha mesa de trabalho, incapaz de lançar seus poderes mágicos sobre minha filha de 4 anos. A melhor decisão tecnológica que tomei foi a de deixar o celular fora do alcance de Lucy. Agora ele só pode ser usado em caso de emergência. E mais: não é prudente dar a uma criança de 4 anos um "brinquedo" que custa centenas de dólares. Lucy, é claro, aguarda ansiosamente o momento de viajar novamente de avião.

Plugado em quê?

Quando meus filhos (de Gary) eram pequenos, não havia computadores em casa, mas tínhamos televisão. Escolhíamos cerca de cinco programas que considerávamos apropriados para eles. Dizíamos: "Vocês têm trinta minutos por dia para ver um destes programas". Com isso, nossos filhos aprenderam a tomar decisões dentro dos parâmetros saudáveis que nós, os pais, estabelecemos. Há duas lições importantes aqui: ensinar os filhos a tomar decisões e ensiná-los a viver dentro de limites.

Os aparelhos antigos de televisão eram imensos, instalados bem no meio da sala de visitas e da vida familiar. Os pais sabiam a que programas os filhos podiam ou não assistir. Agindo como vigias, eles tinham controle total de cada programa exibido em casa. Com o tempo, os aparelhos de televisão tornaram-se mais compactos e acessíveis. As famílias começaram a comprar mais de um aparelho, o que tornava mais difícil controlar o que as crianças estavam vendo.

Saltemos rapidamente no tempo: hoje a tecnologia fornece informação e entretenimento instantâneos em televisões, computadores, *tablets* e *smartphones*. Não precisamos mais de uma televisão para reunir a família diante dela. Hoje, a antiga televisão da família multiplica-se no bolso, na bolsa ou na mochila de cada um. E, embora a televisão não fosse necessariamente um exemplo de virtudes na época, hoje é sem sombra de dúvida mais vulgar, mais sensual e mais violenta.

Quando seu filho tem fácil acesso à televisão ou à internet, há um mundo inteiro de conteúdo impróprio à espera para ser consumido. Eu (Arlene) lembro-me de ter ido assistir, anos atrás, ao filme do Super-Homem, *O Homem de Aço*, com meu marido. O filme foi classificado como não recomendado para menores de 13 anos, por causa de "sequências intensas de violência, ação e destruição ficcionais, e linguagem imprópria". Fiquei chocada ao ver o imenso número de crianças no cinema sentadas ao lado dos pais. Muitos garotos pareciam ter 7 ou 8 anos. Havia até crianças de 5 anos e outras menores nos carrinhos. Além de ter começado tarde, às 20h15, o filme era barulhento e intenso demais para crianças pequenas. Os filmes com essa classificação são acompanhados de uma advertência aos pais por um motivo. O super-herói exerce atração sobre as crianças pequenas, mas não se engane: a maioria dos filmes não é recomendável para elas. *Os Vingadores*, o filme de maior arrecadação de 2012, inclui um total de 964 assassinatos e recebeu nos Estados Unidos recomendação para maiores de 13 anos.[12]

Há orientações gerais para decidir que conteúdo é apropriado para seu filho. Apresentamos quatro perguntas para ajudá-lo a decidir se seu filho deve ou não assistir a determinado filme ou jogar determinado *video game*:

- *Que informações meu filho está aprendendo com esse programa?* Se há informações, elas estão corretas? Você deseja manter a mente de seu filho ocupada com a verdade. Se o programa transmite uma visão distorcida da realidade em vez de mostrar como a vida é no mundo real, não é aconselhável que seu filho o veja. Você quer que ele seja exposto a fatos verdadeiros, não a distorções da realidade.
- *Que traços de caráter esse programa está tentando incutir em meu filho?* É o caráter de alguém que desejo que meu filho imite? Se o humor se basear em exposições ao ridículo, cenas grosseiras ou desrespeito às autoridades, é sinal de perigo. Bons programas ensinam a criança a cuidar dos outros, trabalhar com afinco, resolver conflitos e superar obstáculos.
- *Como esse programa trata os membros da família?* As séries humorísticas na televisão costumam ridicularizar os homens e os pais, apresentando-os como preguiçosos,

gordos ou estúpidos. Que mensagens seu filho está recebendo ao ouvir esse tipo de descrição sobre homens, mulheres, casamento e pais? Como a família é representada?

- *Esse programa reflete os valores de minha família?* Nos primeiros anos de vida, a criança é exposta a todo tipo de valores. Você não pode controlar o que seu filho vê fora de casa, na escola ou em outros lugares, mas pode controlar o que ele vê em casa. Tudo o que ele vê nas telas deve ser condizente com os valores de sua família, ou então deve ser proibido.

Cabe a você ensinar a seus filhos a diferença entre conteúdo próprio e impróprio. Não transfira essa tarefa a professores, pastores ou psicólogos. Assim como você não permite que seu filho coma doces todas as noites no jantar, não pode permitir que ele gaste seu tempo diante das telas com algo que não lhe faz bem. Você é o vigia da dieta mental de seu filho.

Ah, quantas coisas você perdeu!

Minha família (de Arlene) foi à praia com amigos. Cada família foi numa *minivan*, uma seguindo a outra na estrada. De repente, do nada, três motocicletas passaram por nós a toda velocidade. Bem diante de nossos olhos, um motociclista empinou a moto. O outro, acompanhado de um carona, aceitou o desafio e fez o mesmo. Assistimos, dentro do conforto das *minivans*, àquela exibição de ousadia e destemor. A rodovia interestadual 805 nunca havia sido tão empolgante! Acompanhamos os motociclistas por alguns quilômetros, na esperança de assistir a mais um pouco da exibição. Gostamos muito quando eles voltaram a empinar as motos, até que desapareceram na rampa de saída com grande alarde.

Quando chegamos à praia, dissemos entusiasmados a nossos amigos: "Puxa, que incrível! Dá para acreditar que alguém é capaz de fazer aquela manobra?". As crianças olhavam para nós, sem entender. Elas não viram coisa alguma, pois passaram o tempo todo no celular e nem se deram conta das motocicletas.

Em outra ocasião, minha família viajou num cruzeiro para ver baleias. Quando finalmente uma delas apareceu fora da água, nós a notamos imediatamente. Mas dezenas de crianças perderam o espetáculo. Estavam entretidas com aparelhos eletrônicos dentro da cabina.

Perdemos muitas coisas quando ficamos com os olhos grudados na tela. Não se trata apenas de momentos especiais como ver a nadadeira de uma baleia ou motociclistas fazendo manobras arriscadas, mas de ocasiões do dia a dia e de oportunidades de ver o olhar e o sorriso de seu filho. As emoções estão entrelaçadas com os relacionamentos. São respostas às coisas que acontecem na vida, tanto agradáveis como desagradáveis. As crianças precisam aprender a processar as emoções, e isso não se aprende diante de uma tela, mas sim na interação com pais, irmãos e outras pessoas em tempo real, face a face.

O mundo dominado pelas telas eletrônicas é falso, é um mundo controlado cujo propósito único é agradar às crianças. Se seu filho não gosta do que encontra num aparelho eletrônico, pode mudar para outra coisa até achar algo que o interesse. As crianças não precisam aprender a esperar, porque a gratificação é instantânea. O que essas coisas ensinam a seu filho? A vida real não é, de forma alguma, caracterizada por opções infinitas, menus de navegação e satisfação constante.

Os pais também perdem muita coisa. O tempo demasiado diante das telas rouba oportunidades de transmitir ensinamentos, trocar ideias a respeito das lembranças da família e estabelecer vínculos entre pais e filhos. Pode ser mais fácil permitir que seu filho passe horas diante do aparelho eletrônico, mas você já pensou no que está perdendo em termos de crescimento pessoal como pai ou mãe?

Mandy, mãe de duas filhas, uma de 6 e outra de 4 anos, estava preocupada com a dependência que as meninas tinham da televisão. Sempre que Mandy dava o aviso de "só mais cinco minutos", as meninas criavam caso. Quando a televisão era desligada, elas reclamavam e insistiam para que a mãe voltasse a ligá-la. Exasperada, Mandy cedia, embora as meninas já houvessem ultrapassado o limite de tempo.

Mas e se Mandy tivesse insistido nas regras? Ao mesmo tempo que as meninas teriam aprendido lições preciosas sobre obedecer à mãe, Mandy teria desenvolvido sua capacidade de decidir e sua paciência, além de resolver o problema. Quando os pais e os avós optam pelo caminho mais fácil, quase sempre prejudicam o desenvolvimento do próprio caráter.

É tarde demais para mudar?

Nunca é tarde demais para começar a fazer o que é saudável. Isso se aplica às pessoas, individualmente, e também à educação dos filhos. A vida de qualquer pessoa pode dar uma guinada. Mas, enquanto seus filhos estiverem morando em sua casa, não é tarde demais para você se esforçar ativamente para instruí-los nos caminhos saudáveis.

Após um congresso, Steve e Tricia me abordaram com uma pergunta a respeito do filho deles, de 10 anos: "Dr. Chapman, nosso filho é um bom menino. Não tira nota máxima em todas as matérias, mas faz os deveres de casa da melhor forma que pode. Quando ele passou para o 2º ano, permitimos que jogasse *video games* em casa. Ele jogava trinta minutos depois das aulas, mas ultimamente notamos que está jogando bem mais. Uma noite, nós o pegamos jogando depois que as luzes foram apagadas. Nós dois trabalhamos fora, por isso deixamos a coisa correr. Na semana passada, ao vê-lo jogando, notamos que o jogo era violento demais. Queremos que ele pare, mas não sabemos o que fazer".

Em geral, quando nossos filhos fazem coisas que achamos que não deveriam fazer, nós os repreendemos severamente. Somos duros com eles, em vez de aceitar que a responsabilidade é nossa. Sugeri que Steve e Tricia conversassem com o filho dizendo mais ou menos o seguinte: "Nós falhamos em monitorar o tempo que você passa jogando. Não prestamos atenção nos *games* que você está jogando, e lamentamos muito por isso. Deixamos você agir à vontade, mas as coisas vão mudar. De hoje em diante, vamos ajudá-lo a decidir que jogos são bons para você e descartar os que prejudicam seu desenvolvimento. Desculpe-nos por nossa ausência quando deveríamos estar presentes para ajudá-lo".

A maioria dos filhos perdoa os pais que se mostram dispostos a se desculpar. Assumir a responsabilidade como pai ou mãe é muito mais eficaz que acusar o filho de ter tomado uma decisão errada. Em todos os lares há necessidade de comunicação saudável entre pais e filhos, o que nem sempre se dá de forma natural. As conversas não devem tratar apenas de horários para dormir ou para buscá-los na escola. Converse com seu filho sobre qualquer assunto que lhe venha à mente, e o tempo diante das telas é, sem sombra de dúvida, um assunto que deve ser mencionado com frequência.

Se você ainda não teve esse tipo de diálogo franco com seu filho, não é tarde demais para começar. Se decidir o que é saudável para sua família e articular um plano com regras claras para ser posto em prática, sua família florescerá dentro dos limites estabelecidos.

Para refletir

1. Como você passava seu tempo livre na infância?
2. Qual é a idade de seus filhos? Quanto tempo por dia, em média, eles passam diante das telas?
3. O que você pensa sobre seu filho ter um aparelho de televisão no quarto?
4. Quais atividades têm substituído com sucesso o tempo de seu filho diante das telas?
5. Como você reage a esta estatística: "A média das crianças norte-americanas de 8 a 18 anos passa mais de sete horas por dia diante de *video games*, computadores, celulares ou televisão"?
6. Em sua casa, existem regras estabelecidas para o uso de aparelhos eletrônicos? Se sim, quais são? Se não, você gostaria de estabelecer regras enquanto lê este livro?
7. Já conheceu alguém como Michael, o aluno do último ano do ensino médio que jogou *video game* sozinho durante a própria festa de formatura? Como o exemplo de Michael lhe serve de advertência?
8. Como você ensina a seus filhos a diferença entre conteúdo próprio e impróprio? Cite um exemplo recente de instrução.

2

O MÉTODO "NOTA 10" PARA A SOCIALIZAÇÃO DAS CRIANÇAS

"Se não ficarmos atentos, a era da informação poderá impedir nosso desenvolvimento e criar mentes em estado contínuo de puberdade."

SHANE HIPPS

O dr. Holden é dentista há vinte anos. Desde o advento da era tecnológica, ele tem observado muitas mudanças em seu trabalho com as crianças. "Quando entro no consultório, cerca de uma a cada quatro crianças está sentada na cadeira com um celular ou um *tablet* na mão", ele diz. "Tenho de desviar a atenção das crianças dos aparelhos para conseguir conversar com elas. Os olhos delas não se afastam da tela quando entro na sala. Tenho de competir com as telas para atrair os olhares para mim."

Não há aparelhos de televisão na sala de espera nem no consultório dentário pediátrico do dr. Holden. Há revistas, livros e brinquedos, como blocos de construção e casas de boneca. Em outros consultórios, porém, há aparelhos eletrônicos por toda parte para entreter as crianças, e o dr. Holden sente-se pressionado a mudar para competir com os outros dentistas.

Não há dúvida: a distração de um *tablet* pode ser útil quando o dente de uma criança está sendo obturado ou durante uma viagem longa. Mas as crianças necessitam realmente de entretenimento *constante*? Com muita frequência, as crianças recebem aparelhos eletrônicos para apaziguá-las e mantê-las ocupadas mesmo quando não se trata de uma ocasião urgente ou especial. Em vez de aprender a viver no mundo real da comunicação com pessoas e sentir tédio de vez em quando, elas recebem um mundo virtual, feito para seu divertimento e prazer. Mais e mais estudos demonstram os efeitos adversos que o tempo diante das telas causa no cérebro, na vida social e no desenvolvimento emocional da criança.

No ano 2000, antes da popularização dos celulares e aplicativos, a média do tempo de atenção das pessoas era de doze segundos. A partir de então, o tempo de nossa atenção caiu 40%.[1] Como as crianças vão aprender as habilidades de relacionamento necessárias para uma vida bem-sucedida sem a habilidade básica de prestar atenção? O mergulho de seus filhos em telas que estão o tempo todo mudando, entretendo, envolvendo e recompensando não os prepara para ter sucesso na vida real.

A vida real não funciona assim

Você já parou para pensar:

- "Por que as crianças e adolescentes reivindicam tantos direitos?"
- "Por que as crianças e adolescentes não sabem soletrar as palavras nem escrever frases completas?"
- "Por que meus filhos reclamam e discutem tanto?"

- “Por que tenho de cutucar meu filho todas as vezes para ele dizer ‘por favor’ e ‘obrigado’?”

Nas gerações anteriores, as crianças eram mais respeitosas com os pais e outros adultos, mais intelectualizadas e mais corteses. Qual o motivo da mudança? Não se deve jogar a culpa totalmente na tecnologia, mas seu impacto no desenvolvimento intelectual e emocional é inegável. Mais e mais crianças estão aprendendo nas telas dos aparelhos eletrônicos como as coisas funcionam, em vez de ter aulas na vida real sobre responsabilidade, trabalhos domésticos e relacionamentos familiares.

Por exemplo, as crianças de hoje enfrentam poucas dificuldades pessoais. A tecnologia facilita tudo para todos. Se não sabemos o significado de uma palavra, basta olhar na tela do computador em vez de procurá-la no dicionário. Se não sabemos como resolver um problema de multiplicação, há sempre uma calculadora à disposição. Quando estamos entediados, procuramos nosso jogo favorito ou um *site* para entretenimento.

Quando meus filhos (de Arlene) falam sobre coisas que desejam, como blocos de Lego ou vestidos de princesa, dizem com toda tranquilidade: “Basta comprar pela internet”. Na mente deles, a tecnologia torna tudo fácil e acessível. Pode-se comprar qualquer coisa com um clique. A criança com a mente saturada de tecnologia não tem paciência para fazer nada complicado. A tecnologia treina a criança a encontrar tudo o que quiser, e na velocidade da luz. A arte da paciência deixou de existir.

A criança movida por telas

Quando Sophia, 7 anos, não consegue fazer o dever de casa porque não sabe ler o livro da biblioteca da escola, sua mãe liga para a professora e diz: "Vi o livro que Sophia trouxe para ler em casa, e ele é muito avançado para o 2º ano. Você poderia, por favor, recomendar outro livro?".

Embora tenha boas intenções, a mãe de Sophia está, na verdade, protegendo a filha da experiência de que ela necessita para se desenvolver como pessoa. As crianças de hoje, movidas por telas, não aguentam muito sofrimento. Se o dever de casa ou o treino de futebol for difícil demais, elas querem desistir. Infelizmente, muitos pais facilitam a vida dos filhos em vez de ajudá-los a superar obstáculos. É bom, e até desejável, que a criança sinta estresse quando aprende uma habilidade. Se ela se sentir segura do amor dos pais, será bem-sucedida quando enfrentar dificuldades.

A criança movida por telas gosta de recompensas constantes e não se esforça quando não é elogiada com rapidez ou frequência. Afinal, nos *games* ela ganha pontos, estrelas ou vidas extras, passa rapidamente para novas etapas e seus esforços são imediatamente recompensados.

A dra. Kathy Kock, palestrante e orientadora de pais, conta a história de um garoto de 4 anos que usava um aplicativo de basquete no celular. Todas as vezes que ele fazia uma cesta, o celular se acendia e vibrava. Como ele gostava muito do jogo, os avós acharam que seria uma ótima ideia comprar para ele uma tabela de basquete de verdade. Quando fez o primeiro arremesso de verdade, o garotinho ficou esperando que algo acontecesse. Nada aconteceu — nem luzes, nem vibrações. Então, fez outro arremesso. Nada. Desencantado, pegou o celular e continuou a jogar basquete no celular. Ele havia aprendido que, sempre que fizesse algo certo, seria recompensado instantaneamente. Assim, quando nada aconteceu ao fazer cesta no jogo de basquete real, ele parou de brincar.

As crianças de hoje são recompensadas mesmo quando não têm bom desempenho. É comum os times esportivos oferecerem um troféu para cada criança. Quer o time vença, quer perca, elas ganham um troféu. Para ganhar alguma coisa, basta se apresentar. Que motivação a criança tem para vencer? Ela cresce com a falsa expectativa de que qualquer esforço — excelente ou ruim — será recompensado.

Ethan, meu filho (de Arlene), jogou em sua primeira liga de basquete quando cursava o 3º ano. Seu time, o Magic, não venceu nenhum jogo na temporada inteira. Durante algumas partidas, o placar estava tão desigual que pararam de registrá-lo. Mas os garotos sabiam a diferença de pontos.

Podemos tentar proteger nossos filhos da derrota, mas Ethan aprendeu muito naquela temporada com o Magic. Na vida, as pessoas erram e nós nem sempre vencemos. Queremos ajudar nossos filhos a ver a vida pelo ângulo da realidade. Nos esportes, alguém vence e alguém perde. Perder não significa ser uma pessoa inferior. Todos os heróis do mundo esportivo tiveram mais derrotas que vitórias. Faz parte do processo de aprendizado.

A experiência da derrota oferece oportunidade para perguntas importantes: "O que posso aprender com isso? O que posso modificar para atuar melhor nessa área?". Há lições preciosas de vida que seu filho só aprenderá com o fracasso. O tempo diante das telas não proporciona muitas chances de fracassar, mas a vida real permite que elas sejam vivenciadas na segurança do lar.

A criança "nota 10"

Quando seu filho vai à escola, qual é a medida mais alta de sucesso? Um boletim cheio de notas 10? Embora o sucesso escolar seja um belo objetivo, há coisas mais importantes que o desempenho acadêmico de seu filho. Que tipo de ser humano ele está se tornando?

Mais que notas máximas em todas as matérias, a firmeza de caráter é o que determinará o sucesso de seu filho à medida que ele se tornar adulto. Eu (Arlene) tive a oportunidade de fazer uma leitura para a turma do 3º ano de meu filho Ethan. Sentei-me com *O Livro das Virtudes*, de William Bennett, nas mãos, e perguntei aos alunos: "O que é virtude?". Semblantes inexpressivos. Eles olharam para o livro grande que eu segurava e concluíram que virtude era uma coleção de histórias. Ninguém, exceto Ethan, soube definir a palavra *virtude*.

As crianças sabem tudo sobre *video games*, desenhos animados e a última novidade em aplicativos. Mas carecem de instrução a respeito do caráter. Virtudes são comportamentos que revelam altos padrões morais. Responsabilidade. Compaixão. Persistência. Fé. Não há nenhum aplicativo de virtude que você possa baixar na mente e no coração de seu filho. As virtudes são ensinadas e aprendidas quando as crianças observam e ouvem os pais falando sobre o que é certo e o que é errado.

Nos próximos cinco capítulos, faremos um resumo de cinco habilidades "nota 10" que seu filho precisa desenvolver para ter sucesso na vida e no amor. Não abandone seus esforços para ajudar seu filho a obter notas altas na escola, mas mantenha também as habilidades relacionais citadas a seguir na linha de frente da educação total de seu filho em casa.

A habilidade "nota 10" do afeto

Depois de um dia difícil no escritório, Rachel entra em casa acompanhada dos filhos: Leah, 9 anos, e Charlie, 7. Ela arruma suas coisas e começa a aquecer a comida tirada do *freezer* para o jantar. Charlie senta-se diante da televisão. Leah começa a jogar seu jogo favorito no *tablet*. O marido de Rachel chega, e todos se sentam à mesa para um jantar rápido. Ninguém é grosseiro, mas ninguém diz "por favor" nem "obrigado". Após o jantar, Charlie volta a ver televisão, e Leah pega o *tablet* e começa a jogar do ponto em que parou. O marido de Rachel trabalha em seu *notebook* enquanto Rachel consulta as mensagens de texto de seu celular.

No fim da noite, Rachel fecha os olhos para dormir. Está preocupada porque vem se sentindo distante da própria família. As crianças parecem mais interessadas em ver televisão ou jogar *video games* do que em estar com ela. O marido raramente se acomoda no sofá para conversar. O que está acontecendo com sua família, outrora tão unida?

Toda família necessita do ingrediente do afeto para desabrochar: contato visual, abraços, toques físicos apropriados e palavras de afirmação. Crianças saudáveis aprendem com a família a dar e a receber afeto. Os relacionamentos dentro de casa que consistem em palavras breves e mensagens de texto deixam a desejar.

A habilidade "nota 10" da gratidão

Ethan, meu filho (de Arlene), teve a oportunidade espetacular de fazer uma viagem de um dia num navio com alguns amigos e familiares. Acenei despedindo-me de meu marido, de Ethan e de Noah, amigo de Ethan de 10 anos, ao vê-los caminhando para o porto. Quando retornou, no fim do dia, Ethan estava usando um belo boné de beisebol com o nome do navio bordado nele. Noah havia comprado o boné para meu filho na loja de presentes do navio em agradecimento por ele o ter convidado para acompanhá-los.

Mais tarde, perguntei à mãe de Noah se ela o havia convencido a comprar o presente. A resposta: "Não, não sugerimos que ele comprasse nada para Ethan. A decisão foi de Noah, e ele comprou o presente com o próprio dinheiro". A mãe de Noah ficou encantada ao saber que o filho decidira por conta própria mostrar gratidão ao amigo.

Embora com pouca idade, Noah entende o poder da gratidão. Quando alguém nos faz uma surpresa agradável, a reação correta é mostrar gratidão. Às vezes é mais fácil para a criança pensar: "Bem, eu ganhei porque mereci". Mas nós, os pais, queremos criar um filho que cresça aprendendo a agradecer, não uma criança que se torne um adulto exigente e mal-agradecido.

A habilidade "nota 10" do controle da raiva

Joey, 7 anos, e Kimberly, 9, irritavam um ao outro desde o momento em que acordavam.

Brigavam para ser o primeiro a usar a pia do banheiro. "Pare!", Kimberly gritava, o que levava Joey a empurrá-la com mais força.

No café da manhã, Kimberly provocou Joey sem parar:

— Você cuspiu no cereal. É um boboca. Sua camisa não combina com a calça.

Enquanto aguardava a mãe aprontar-se para levá-los à escola, Joey ficou jogando *video game* sentado no sofá. Kimberly inclinou o corpo, impedindo que Joey visse a tela.

— Sai daqui! — berrou ele, empurrando-a para longe.

— Mãe, o Joey me bateu! — gritou Kimberly.

Os irmãos possuem um dom especial: deixar o outro extremamente furioso em questão de segundos. Se não forem controladas, essas irritações poderão transformar-se em raiva mal resolvida. A raiva não fica confinada apenas em casa; é comum manifestar-se também no parquinho e na sala de aula. Os pais prestam um enorme serviço aos filhos quando os ensinam a reconhecer a diferença entre raiva "negativa" e raiva "positiva" e a lidar com esse sentimento de maneira saudável.

A habilidade "nota 10" do perdão

Eu (Gary) lembro-me de quando meu filho de 6 anos explicou, ao ser repreendido por ter batido com tanta força no vidro da mesa que este caiu e se espatifou no chão: "Quebrou sozinho". Quando a parede apareceu rabiscada com o marcador mágico, ele voltou a dizer: "Ficou rabiscada sozinha". Esforçamo-nos muito e por longo tempo para ensiná-lo a dizer: "Bati sem querer no vidro da mesa" e "Rabisquei a parede".

Até hoje, minha mulher e eu dizemos um ao outro em tom de brincadeira quando confrontados com algum ato irresponsável: "Aconteceu sozinho". Sim, é uma brincadeira, mas é bom jogar a culpa em outro. Se quisermos que nossos filhos sejam adultos maduros, precisamos ensiná-los a ser responsáveis pelo que fazem. Adultos imaturos continuam a ter comportamento infantil e tendem a culpar os outros em vez de assumir a culpa quando erram.

Assumir a responsabilidade pelas próprias palavras e ações é o primeiro passo para aprender a pedir perdão. Em geral, as crianças assumem a responsabilidade por suas ações positivas: "Comi três garfadas de feijão. Posso comer a sobremesa?", "Recebi um elogio pelo meu trabalho da escola", "Fui o mais rápido na corrida". Em todas essas declarações, a criança assume a responsabilidade por uma ação nobre.

Por outro lado, as crianças não são tão rápidas para assumir a responsabilidade por ações menos nobres. Quando foi a última vez que você ouviu seu filho admitir: "Desculpe, eu comi o doce que você não queria que eu comesse" ou "Copiei de um colega o dever de matemática porque não sabia resolver o problema"? Essa franqueza em pedir perdão exige muita orientação e esforço dos pais. Mas a boa notícia é que a arte de pedir perdão pode ser aprendida na primeira infância e aplicada durante a vida toda, proporcionando a seu filho uma enorme vantagem emocional.

A habilidade "nota 10" da atenção

Aiden, 4 anos, assiste a aulas de música uma vez por semana. Doze crianças em idade pré-escolar sentam-se em círculo enquanto a professora distribui os instrumentos. Todas elas permanecem sentadas em tapetes, cantando junto com seus instrumentos, mas Aiden levanta-se, coloca seu instrumento no balde e pega ruidosamente um pandeiro. A mãe sinaliza para que volte a seu lugar no círculo. "Sente-se, Aiden", ela pede. Ignorando a mãe e a professora, ele pega outro instrumento e corre para o outro lado da classe. A aula de música torna-se um evento frustrante para a mãe e para a professora. Depois de algumas semanas, a mãe desiste de levar Aiden às aulas.

A incapacidade de Aiden de prestar atenção é comum. Rose, uma pastora veterana de crianças, tem presenciado uma mudança dramática no comportamento das crianças com relação ao tempo que elas dedicam para prestar atenção na igreja. "As crianças de hoje procuram coisas inatingíveis, espetaculares, superempolgantes", diz. "Estão acostumadas ao estímulo dos *video games* e dos filmes. Querem ver a próxima atração. Se ela não aparece, perdem o interesse. A maioria tem dificuldade para se concentrar na igreja. Quando peço que formem um círculo, demoram muito porque estão excessivamente distraídas. Começam a correr em volta da sala em vez de formar um círculo. Sei quais são as que passam mais tempo diante de aparelhos eletrônicos porque isso tem a ver com a incapacidade de prestar atenção, e elas necessitam de orientação firme."

Começa agora

Demos a essas virtudes o nome de habilidades "nota 10". Não se trata de características com as quais algumas crianças nascem e outras não. São habilidades que as crianças aprendem, e é raro surgirem automaticamente. Essa é uma boa notícia, porque incutir caráter em seu filho não é o mesmo que comprar um bilhete de loteria. Não é algo deixado ao acaso. Você pode causar impacto permanente em seu filho se o ensinar a:

- Mostrar afeto
- Agradecer aos outros
- Lidar com a raiva
- Pedir perdão
- Prestar atenção

Talvez você não tenha sido proativo na arte de ensinar essas cinco habilidades "nota 10" no passado. Não é possível mudar o ontem, mas você pode mudar o hoje e o amanhã. Abraham Lincoln disse: "A melhor maneira de prever o futuro é criar um futuro". Se deseja que seu filho tenha um futuro brilhante, cabe a você criar esse futuro. Talvez tenha de tomar atitudes que desagradarão seu filho: "Você está dizendo que devo pedir perdão à minha irmã?", "Não quero fazer o dever de casa", "Preciso mesmo escrever um bilhete de agradecimento à vovó pelo agasalho?" etc.

Você é a autoridade em sua família. Seu filho não está no controle nem mesmo dos aparelhos eletrônicos de sua casa. Se seu filho não está interagindo com a família de forma saudável, é tarefa sua mudar a situação. Se atribuir responsabilidade a seu filho, ele reagirá de acordo. São os pais que devem instruir os filhos com relação à maneira de agir, não o contrário. Você precisa ter uma ideia clara do que deseja e esperar que seus filhos a sigam.

Jennifer criou uma conta de *e-mail* para a filha de 11 anos. Ela conhecia a senha e tinha acesso aos *e-mails*. Por não os considerar impróprios, Jennifer não viu problema com os *e-mails* da filha nem com os enviados pelos amigos e amigas dela. O problema não estava no conteúdo; estava na intromissão dos *e-mails* na vida da filha.

"Ela queria verificar os *e-mails* o tempo todo. Pedia para usar o computador da família várias vezes depois das aulas. Quantos *e-mails* urgentes uma menina de 11 anos recebe? Ela deixou de se interessar pelos livros e brinquedos depois de ter uma conta de *e-mail*."

Jennifer percebeu que precisava estabelecer novos limites quanto ao uso do computador. Transmitiu à filha as novas regras sobre a checagem de *e-mails*: consultas só depois de aprontar os deveres de casa e as tarefas rotineiras, um limite diário de dez minutos e nada de clicar em *links*, a não ser os que ela (Jennifer) tivesse certeza de que eram seguros. Se a filha pedisse para checar os *e-mails* mais de uma vez, não poderia mais acessar a conta naquele dia.

Jennifer preveniu a filha sobre o perigo dos *spams* e de comunicar-se *on-line* com estranhos. Mencionou as consequências, caso ela descumprisse as regras. Por fim, explicou que a tecnologia funciona melhor quando se torna uma ferramenta útil na vida da pessoa e torna-se destrutiva quando passa a ser o eixo em torno do qual a vida gira.

Nós também podemos ser semelhantes à filha de Jennifer, enviando constantemente mensagens de texto e *e-mails* e esquecendo-nos do resto, inclusive de nossos filhos. Talvez você passe o dia inteiro diante do computador, tendo pouco contato com pessoas reais. Você já viu adolescentes sentados no banco traseiro do carro enviando mensagens de texto uns aos outros em vez de conversar? Isso também se aplica aos adultos. A próxima geração corre o grande risco de desconhecer a arte da conversa pessoal. Mas você pode ensinar seus filhos a lidar com a vida e a valorizar os outros face a face.

O horário das refeições em família é uma oportunidade perfeita para pôr em prática as habilidades "nota 10" com seus filhos. Faça perguntas como estas:

- Com quem vocês mais gostaram de passar o dia na escola hoje? O que essa pessoa tinha de especial?
- Aconteceu algo hoje pelo qual vocês acham que deveriam agradecer?
- Aconteceu algo hoje que deixou vocês zangados ou aborrecidos?
- Qual foi a última vez que vocês pediram perdão a alguém ou que alguém pediu perdão a vocês?
- Para quais matérias na escola é mais fácil dar atenção? E para quais é mais difícil?

Não se esqueça de tornar as refeições da família um momento divertido e significativo. Desligue os celulares e a televisão. Ao se reunirem ao redor da mesa, usem esse momento especial para conversar — não com as telas, mas uns com os outros.

Seu lar é o centro de treinamento para as cinco habilidades "nota 10" de afeto, gratidão, raiva, perdão e atenção. Agora é a hora de criar o futuro brilhante para seu filho. Os próximos cinco capítulos foram elaborados com o intuito de oferecer ajuda prática para ensinar essas habilidades fundamentais.

Para refletir

1. Você concorda que as crianças das gerações anteriores respeitavam mais os pais e os adultos? Em sua opinião, que papel a tecnologia representa nessas mudanças?
2. "A tecnologia treina a criança a encontrar tudo o que quiser, e na velocidade da luz. A arte da paciência deixou de existir." Isso se aplica a seu filho ou filhos? Se sim, cite uma ocasião em que seu filho foi impaciente.
3. Das cinco habilidades "nota 10" (afeto, gratidão, controle da raiva, perdão e atenção), quais seu filho mais necessita melhorar?
4. Reflita sobre a hora das refeições em família. Quantas vezes vocês comem juntos durante a semana? Vocês conversam muito? Quem é o mais falante? Você atende ligações telefônicas durante as refeições? A televisão fica ligada? A refeição é feita às pressas ou devagar?
5. Seu filho tem uma conta de *e-mail*? Se sim, você estabeleceu regras para o acesso aos *e-mails*? Para os pais de crianças pequenas: qual idade você considera benéfica para seu filho ter um *e-mail*?

3

A HABILIDADE "NOTA 10" DO AFETO

"O afeto é responsável por nove décimos de toda felicidade sólida e permanente em nossa vida."

C. S. Lewis

Um grupo de meninos e meninas entre 7 e 8 anos estava aguardando o início da aula da escola bíblica dominical. Andrew e Clay brincavam juntos enquanto algumas meninas espalhavam materiais de arte ao redor. Outro menino entrou na sala, segurando um *tablet* no ar e tirando fotos da classe. Os meninos pararam de brincar. As meninas pararam de procurar as canetas mais bonitas. Todos se reuniram em volta do menino com o *tablet*. Ele começou a jogar um *video game*, e todos os olhos ficaram grudados na tela. A classe, barulhenta, mergulhou em silêncio total. Só se ouviam os *bips* do jogo.

Uma das líderes deu um passo à frente. "Nada de aparelhos eletrônicos na classe", ela disse, esticando o braço para pegar o *tablet*. "Será devolvido quando você voltar para casa."

O aparelho digital foi posto de lado. As crianças voltaram a brincar e a desenhar. As vozes voltaram a encher a sala.

A atração dos aparelhos eletrônicos é quase irresistível — para crianças e adultos. Com um aperto de botão, os *games* e o mundo virtual cativam nossa atenção. Sem outras opções, as crianças apegam-se mais aos aparelhos eletrônicos que a pessoas como amigos, professores, tios e avós.

Ironicamente, um aparelho eletrônico que nos conecta com pessoas do mundo inteiro pode ao mesmo tempo atuar para nos separar das pessoas mais próximas. As crianças podem ter uma conversa face a face com a vovó que mora em outro estado ou país; os computadores nos oferecem essa bela e poderosa conexão. Mas a maioria das crianças não usa seus aparelhos eletrônicos para falar com a vovó. Preferem ver um desenho animado, aprender um novo jogo ou navegar na rede social favorita. O tempo diante das telas está rapidamente substituindo o tempo frente a frente com outras pessoas nos lares modernos.

Os aparelhos de televisão não são novidade para as famílias. Um milhão de casas nos Estados Unidos possuía um aparelho já em 1948.[1] Pense em seus hábitos pessoais de ver televisão com os filhos. Sem dúvida sentiriam seu afeto se você se aconchegasse a eles durante o programa favorito da família. Mas, na realidade, a não ser em ocasiões especiais em que a família se reúne à noite para ver filmes, os pais e os filhos assistem a programas diferentes, separadamente. Os pais dizem que o tempo de exposição dos filhos diante das telas lhes proporciona a oportunidade de cuidar de outras coisas.[2]

Os anúncios vendem a noção romântica de uma família unida, vendo um filme na televisão nova, com tela plana de 60 polegadas. A última novidade em celular permite que você veja qualquer pessoa no mundo com clareza estonteante. Contudo, talvez a descrição mais realista seja a de uma família que mora no mesmo endereço, mas vive separadamente, cada pessoa em seu mundo eletrônico particular.

A presença física é importante

Mais que qualquer coisa, Ben quer ser um bom pai. Chega em casa todos os dias às seis da noite e, depois do jantar, senta-se no sofá com os filhos Megan, 8 anos, e Ryan, 9. Ben mexe e remexe em seu celular. Verifica os portais de notícia, as ações em que investe, e começa a ler um artigo sobre os melhores lugares para esquiar nos Estados Unidos. Está pensando em ensinar os filhos a esquiar durante as férias de inverno. Ben está fisicamente presente no sofá enquanto os filhos veem televisão, mas mentalmente está em outro lugar quando se concentra em seu celular. O celular é o objeto de seu afeto.

Os filhos de Ben observam o pai absorto com o celular e buscam ocupar-se também. Megan pega os fones de ouvido e procura as músicas prediletas no aplicativo de *streaming*. Ryan zapeia diante da televisão. A noite termina, e o cenário é o mesmo na noite seguinte.

Nossos lares estão passando por uma mudança sutil. Pais e filhos sentem-se cada vez mais confortáveis passando horas a fio a manusear aparelhos eletrônicos. Sem perceber, aceitamos a troca. O afeto entre nós diminui cada vez mais. Podemos estar dividindo o mesmo espaço em família, mas não nos conectamos emocionalmente uns com os outros. Shane Hipps, autor de *Flickering Pixels* [Pixels tremeluzentes], escreve: "O espaço digital tem a capacidade extraordinária de criar imensas redes sociais superficiais, mas é despreparado para produzir conexões humanas íntimas e significativas".[3]

Quando eu (Arlene) sofri um aborto espontâneo aos 26 anos, muitos amigos reuniram-se à nossa volta. Apesar de uma mensagem postada *on-line* dizendo: "Quero seu bem" ter sido simpática, não se comparava ao conforto de um abraço verdadeiro de uma amiga que veio me visitar. A presença física é importante. Não se pode transmitir intimidade por meio de mensagens de texto, *e-mails* ou *tweets*. A forma mais intensa de afeto é transmitida face a face, em tempo real.

Como pais, temos todos os dias a oportunidade de ouro de mostrar afeto a nossos filhos — por meio de um abraço, uma conversa, uma louça lavada coletivamente ou uma caminhada até a sorveteria. Sua presença é muito significativa para seu filho, e não apenas a presença física, mas também a presença mental e emocional. Quando estiver com seu filho, esteja por inteiro. Ele aprenderá com seu exemplo. Verá que as pessoas fisicamente presentes merecem mais afeto que as conexões digitais.

Fazendo amigos

Eu (Arlene) estava diante do computador quando Noelle, 7 anos, perguntou:

— Mamãe, como a gente faz amigos?

Pelo fato de estar acessando uma rede social, imaginei que ela estivesse falando de amigos *on-line*.

— Não, amigos de verdade — ela replicou.

Foi um alívio saber que ela queria fazer amigos de verdade! Desviei a atenção do computador e olhei-a nos olhos. Comecei a desenvolver minha conversa sobre amizade.

— Você faz amigos sendo uma boa amiga. É gentil com a outra pessoa e não mede esforços para fazê-la se sentir especial. Faz perguntas sobre a vida dela. Enfim, mostra interesse sincero por ela.

Noelle perguntou:

— A gente diz "quero ser sua amiga"? Maria, lá da escola, diz que a gente precisa conhecer a pessoa durante dois dias para ser amiga dela.

— Não sei bem como isso funciona para alunas do 2º ano — admiti, sorrindo. — Os adultos não dizem "quero ser seu amigo", mas agimos de modo simpático e então nos tornamos amigos. Não há nenhuma regra que diga que a gente precisa conhecer uma pessoa durante dois dias para ser amiga dela, mas é verdade que, quanto mais conhecemos uma pessoa, mais amigos nos tornamos dela.

Noelle tinha outra pergunta.

— E se eu conheci uma pessoa há muito tempo e de repente a vejo novamente, mas não me lembro do nome dela, o que devo fazer?

— Vamos fazer uma encenação. — eu disse.

Caminhei em direção a Noelle e parei.

— Ah, eu me lembro de você. Nós nos conhecemos há muito tempo. Meu nome é Mamãe. E o seu?

Ethan, o irmão mais velho, entrou na conversa.

— Conheci dois garotos depois das aulas hoje. Jeff está no 4º ano, e Sean, no 6º. Fui eu que puxei conversa com eles — disse, com orgulho.

As crianças necessitam de orientação no que diz respeito a fazer amizades saudáveis. O lar é o lugar ideal para instrui-las a ter sucesso nos relacionamentos. Dedique tempo para responder a perguntas sobre amizade. James, meu marido, tem ensinado nossos filhos a iniciar conversas e a aprender nomes na escola (o que explica o orgulho de Ethan por conhecer os dois garotos). Não subestime seu papel em ensinar a seu filho o significado de uma boa amizade.

As crianças de ontem brincavam com blocos para montar castelos, faziam fortes indígenas, vestiam bonecas. Hoje, as brincadeiras são quase sempre dominadas pelas telas eletrônicas. Um amigo apresenta seu programa favorito de televisão ao outro amigo. Os garotos jogam *video games* juntos. Em vez de conversar e usar a imaginação, eles se sentam lado a lado, dividindo um aparelho ou cada um segurando o próprio.

"Sim, haverá outras crianças para brincar com você", Tricia garantiu à Jane, sua filha de 6 anos, enquanto se dirigiam à festa na casa dos vizinhos. Quando chegou, Jane avistou duas meninas que pareciam ter a idade dela. Elas estavam no sofá, debruçadas sobre um celular e entretidas com um jogo. Jane disse "oi" e sentou-se perto delas. Elas balançaram a cabeça para Jane e, sem dizer nada, continuaram a jogar. Depois de uns cinco minutos, Jane levantou-se para procurar a mãe.

— Elas não brincam comigo. Quero ir para casa — Jane cochichou.

Tricia não sabia o que fazer. Não podia culpar Jane, pois presenciara a cena toda e sabia que não estava havendo nada semelhante a uma brincadeira de verdade.

— Vamos ficar mais um pouco. Talvez outras garotas apareçam — disse Tricia.

As duas permaneceram ali por mais meia hora, mas não apareceram outras crianças. As duas meninas pararam de jogar no celular e começaram a ver televisão. Jane juntou-se a elas. No caminho de volta para casa, a mãe de Jane pensou na festa. Jane não teve oportunidade de conhecer aquelas meninas. Não conversaram nem interagiram, apenas se sentaram juntas enquanto se entretinham com as telas.

Em casa, Tricia usou a festa para ter uma conversa com Jane sobre tecnologia:

— Não teria sido mais divertido se vocês tivessem brincado ao ar livre ou com aquela linda casa de bonecas? Quando você tiver a oportunidade de brincar com outras meninas, será bem melhor deixar os aparelhos eletrônicos de lado e brincar de verdade.

Há inúmeras oportunidades para usar a tecnologia, mas as brincadeiras com amigos são especiais e mais difíceis de acontecer por causa da agenda lotada da família. Não permita que seus filhos percam tempo diante das telas. Antes da brincadeira, assegure-se de que seu filho e o convidado entendam: nada de aparelhos eletrônicos. Afinal, para fazer bons amigos é bem melhor ficar face a face.

Por favor, goste de mim

Muitas pessoas precisam da afirmação dos outros para se sentirem valorizadas. As crianças não são diferentes. *Todos* nós queremos ser amados. As crianças do ensino fundamental estão começando a conhecer as redes sociais na internet. Além de se sentirem amadas no parquinho, hoje elas querem saber quantas pessoas "curtiram" a foto que acabaram de postar ou quantos "amigos" possuem *on-line*.

Na tentativa de enquadrar-se na tecnologia, alguns professores estão ensinando os alunos a participar de *blogs* dentro da sala de aula. Os alunos do 1º ano são incentivados a deixar comentários e a interagir digitalmente. Estão aprendendo a enviar e receber comentários de outras pessoas. Infelizmente, os *sites* que propiciam esses relacionamentos sociais ensinam às crianças que o caminho para a popularidade é pavimentado com "curtidas" e com o número de comentários e amigos *on-line*.

Se é muito difícil para um adulto lidar com comentários depreciativos *on-line* ou com a falta deles, o que comunica "ninguém está interessado em mim", imagine então como é difícil para a criança, que ainda não possui maturidade emocional para lidar com o mundo digital. Os pesquisadores sugeriram um novo fenômeno chamado "depressão Facebook", a depressão que ataca os pré-adolescentes e os adolescentes quando passam muito tempo navegando em redes sociais, como o Facebook, e começam a manifestar sintomas clássicos de depressão.[4]

Se estiver entrando na adolescência, seu filho precisa do alicerce firme que é se saber apreciado pelas pessoas à sua volta. As "curtidas" *on-line* baseiam-se, de modo geral, em desempenho, aparência e efeito chocante. Esse afeto é condicional. Seu filho necessita sentir o amor incondicional, que vem de Deus e de você. Só o amor incondicional é capaz de evitar problemas, como ressentimento, sensação de não ser amado, culpa, medo e insegurança. O amor incondicional não é encontrado *on-line*.

Toda criança faz esta pergunta: "Você gosta de mim?". Se limitar o acesso às redes sociais, você ajudará seu filho a encontrar a resposta em pessoas reais, que podem inundá-la de afeto, em vez de buscar isso em uma comunidade virtual que pode ser volúvel e cruel.

Falta de sensibilidade

Quando tinha 3 anos, minha filha (de Arlene) Lucy deu um pulo diante de mim, fingindo empunhar um sabre de luz, e gritou: "Vou matar você!". Seus olhos brilhavam, e ela estava sorrindo. Era brincadeira, mas aquelas palavras certamente não pareciam adequadas para aqueles lábios infantis. Procurei entender onde ela tinha aprendido aquela expressão. Provavelmente imitava Ethan brincando de guerrear com suas miniaturas de Guerra nas Estrelas. Não assistimos aos filmes de Guerra nas Estrelas no cinema nem na televisão por causa da idade de nossos filhos, mas ali estava a pequenina Lucy dizendo: "Vou matar você!".

Não repreendi minha filha, visto que ela não tinha noção do que estava fazendo, mas não deixei a oportunidade escapar. Disse a ela que não era correto dizer: "Vou matar você" e que, em vez disso, deveria dizer: "Vou pegar você!" ou "Cuidado, veja quem chegou!". Desde então, ela não usou mais a palavra *matar*. Quando corrigimos nossos filhos a respeito da linguagem que usam e ensinamos a eles quais palavras devem ou não dizer, eles ouvem com atenção.

Nossos filhos são profundamente influenciados pelo que veem. Aprendem palavras, expressões e valores em programas de televisão, vídeos na internet e outros entretenimentos do mundo virtual. Se não acompanharmos o que eles veem nas telas, teremos de nos preparar para as consequências. Talvez estejam usando linguagem grosseira ou imprópria para a idade deles. Também podem estar criando um afeto mais forte pelos aparelhos eletrônicos do que por pessoas. Afinal, esses aparelhos atendem a todos os seus caprichos, e as pessoas não.

Há uma preocupação entre os pesquisadores: quando o tempo diante das telas aumenta, a empatia diminui. As crianças ficam expostas a violência nos *video games*, o que pode torná-las insensíveis ao sofrimento dos outros, às intimidações e aos atos de agressividade. A facilidade de fazer amigos *on-line* — basta procurar outro amigo se alguém estiver nos incomodando — torna os relacionamentos da vida real frustrantes. Um estudo feito pela Universidade de Michigan constatou que os universitários não têm tanta empatia como tinham antigamente. Ela diminuiu cerca de 40% em relação a duas ou três décadas atrás.[5]

Você deseja ensinar seu filho a valorizar as pessoas. No entanto, o mundo digital tende a tornar a criança mais centrada em si mesma que nos outros. O mundo tecnológico consiste em jogos, *tweets*, postagens e mundos virtuais projetados para fazer seu filho sentir-se o centro do universo.

Jason é um rapaz de 22 anos que cresceu jogando *video games*. Em sua adolescência, porém, não havia essa imensidão de jogos *on-line* tão conhecidos em nossos dias. Nesses jogos, altamente viciantes, um grande número de jogadores de qualquer lugar do mundo compete ao mesmo tempo. O irmão dele, Danny, 14, joga durante várias horas por dia.

"Meu irmão era gentil e educado quando tinha menos idade. Agora está muito diferente", disse Jason. "Depois de jogar meses sem parar, ele se tornou grosseiro e de difícil convivência. Fala muito mais palavrões desde que passou a ter um aparelho de televisão no quarto. Acho que ele jogar *games* violentos com um punhado de estranhos tem muito a ver com a conduta dele hoje em dia."

As crianças não estão apenas correndo o risco de perder a sensibilidade para a violência, como também são bombardeadas por conteúdo sexual desde tenra idade. Mais de 75% dos programas exibidos em horário nobre apresentam conteúdo sexual, e no entanto apenas 14% dos riscos ou consequências dos incidentes sexuais são sugeridos.[6] Não causa surpresa saber que a exposição da juventude a conteúdo sexual na televisão pode ser usada para prever gravidez na adolescência.[7]

Os celulares permitem que as crianças tenham acesso a informações sexuais e pornografia em qualquer lugar. Um estudo revelou que 20% dos adolescentes admitiram praticar *sexting* (envio de mensagens de textos sexuais e/ou imagens explícitas).[8] Os pré-adolescentes enviam ou postam fotos nuas deles próprios porque são desafiados a isso ou porque querem chamar a atenção. É mais fácil que nunca procurar amor nos lugares errados. Os pais precisam cuidar com muito carinho do que os filhos veem.

Continuam a ser a janela da alma

Quando você olha uma pessoa nos olhos, há uma sensação de que está olhando dentro da alma dela. A visão é um dom precioso. Os que perderam a visão ao longo da vida sabem quanto esse dom é valioso. Na próxima vez que estiver com seu filho, tente olhar para o braço ou para o pé dele enquanto lhe dirige a palavra. Em seguida, concentre a atenção no rosto dele e olhe-o nos olhos. Viu a diferença? Use esse exercício para ilustrar o valor do contato visual com seu filho.

Jocelyn Green, coautora de *The 5 Love Languages Military Edition* [As 5 linguagens do amor, edição militar], tem dois filhos pequenos. Ela escreve:

> Algo que tenho notado na juventude é a falta de contato visual. Mesmo quando faço compras na farmácia, o caixa faz toda a transação sem nem mesmo olhar para mim. Creio que esse seja um sintoma dos relacionamentos orientados para telas. É por isso que meu marido e eu tomamos a decisão de educar nossos filhos a olhar as pessoas nos olhos, observar a linguagem corporal e responder às perguntas que lhes são feitas.[9]

O contato visual era considerado uma cortesia comum. Agora, se seus filhos aprenderem essa habilidade básica, serão considerados diferentes dos outros. Algo acontece entre duas pessoas quando elas se olham nos olhos. Pais e filhos que praticam essa experiência têm uma comunicação muito mais qualificada. Podemos conversar tendo uma parede ou um corredor entre nós. Podemos conversar em voz alta com alguém em outro cômodo. Mas a conexão é muito mais profunda quando estamos frente a frente, olhando nos olhos um do outro. O contato visual agrega contato emocional.

Conhecemos apaixonados que passam horas olhando nos olhos um do outro. Maridos e esposas deveriam continuar a se olhar nos olhos muito tempo depois da cerimônia de casamento. O mesmo se aplica a filhos e pais. É bom que os filhos observem os pais se olhando nos olhos, se abraçando, se beijando e andando de mãos dadas. A criança se sente segura quando os pais demonstram afeto mútuo.

Há ocasiões em que você pode comunicar-se positivamente com seu filho por meio de mensagens de texto ou ao telefone. Frases como "Estacionei o carro na entrada do *shopping*" e "Estou a caminho", por exemplo, podem ser oportunas e úteis. No entanto, a maior parte da comunicação necessita de contato visual direto. Você não pode olhar seu filho nos olhos numa mensagem de texto. Não pode abraçá-lo por meio do celular. Não pode instruí-lo por meio de *tweets* com limite de caracteres. Os olhos são a janela da alma de seu filho. Olhe dentro deles com frequência e não se apresse em verificar qual é o próximo compromisso em sua agenda. Alguns segundos de contato visual fazem enorme diferença no afeto que seu filho sente vir de você.

Conte uma história para mim

Diane estava planejando uma festa de Natal para a filha adolescente e suas amiguinhas. Decidiu convidar também um grupo de avós na casa dos setenta anos, membros de sua igreja. Enquanto dava os toques finais na refeição que preparava na cozinha, Diane pediu às senhoras que contassem a experiência que tiveram ao receber seu primeiro presente de Natal. Em questão de minutos, as garotas entraram na cozinha e, de braços dados com as senhoras, ouviam fascinadas as histórias encantadoras de tanto tempo atrás. Todas riram e choraram juntas, tornando-se amigas rapidamente.

Quando a festa se aproximava do fim, as garotas disseram a Diane que a parte da qual mais gostaram na festa não foi a refeição, nem os jogos, nem os presentes. A parte preferida foi ouvir as histórias. Quando contamos nossas histórias, criamos um vínculo que tecnologia nenhuma é capaz de superar. As histórias unem as famílias. "Por que o vovô tem aquela medalha no quarto?", "Como você e a mamãe se conheceram?", "Quando você foi acampar pela primeira vez, ficou com muito medo?" Essas conversas criam vínculos profundos nas famílias!

Meu marido (de Arlene), James, conta uma história após a outra sobre sua infância. Tem ótima memória e, como foi um menino muito travesso, tem muitas histórias interessantes e divertidas. Nossos filhos não se cansam de pedir: "Por favor, papai, conte outra história para nós de quando você era criança". Quando James estava no 2º ano, sua família decidiu passar férias em Toronto, no Canadá. Eles entraram numa enorme e colorida avenida comercial, apinhada de gente. James é o mais novo de quatro filhos. Logo se distraiu e se desvencilhou da mão de sua mãe, concentrando-se numa imensidão de brinquedos expostos. Então, ao olhar ao redor, não viu mais ninguém de sua família. Estava perdido na cidade grande. Depois de dar voltas e mais voltas, decidiu, finalmente, tentar encontrar o carro. Procurou um que tivesse a placa "Nova York", encontrou o automóvel certo e sentou-se. Sua família apareceu depois de três horas. Aquela foi a última vez que James se perdeu. Sua mãe lhe disse: "As regras mudaram. De hoje em diante, você não vai largar de minha mão. É sua obrigação me acompanhar".

Que histórias você pode contar a seus filhos no jantar de hoje à noite? Fale sobre seu primeiro emprego, seu melhor amigo no ensino fundamental ou seu filme favorito na infância. Os relacionamentos da família intensificam-se quando você conta histórias. Não permita que a tecnologia roube o tempo das histórias contadas em família. Essas histórias fazem o afeto de seus filhos criar raízes.

Enchendo o tanque de amor

Toda criança possui um tanque emocional que pode ser abastecido durante os dias desafiadores da infância e adolescência. Assim como os carros são movidos pelo combustível, o tanque emocional de nossos filhos também precisa ser abastecido com frequência. Como pais, temos a missão de encher o tanque emocional de nossos filhos com o afeto de que necessitam para crescer sadios e fortes. As duas horas que a criança passa jogando *video game* não são capazes de abastecer seu tanque emocional.

Há cinco maneiras pelas quais todas as pessoas transmitem e entendem o amor emocional: toque físico, palavras de afirmação, tempo de qualidade, presentes e atos de serviço. Se você tem mais de um filho, provavelmente eles falam linguagens diferentes. Em geral, as crianças têm personalidades diferentes, por isso podem ouvir diferentes linguagens de amor. Você aprenderá mais sobre as linguagens do amor e o tempo diante das telas no capítulo 10.

As crianças pequenas não são sutis ao solicitar amor. Eu (Arlene) acredito que a palavra favorita do dicionário de minha filhinha Lucy é *ABRAÇO!* As crianças pequenas se contorcem para subir em nosso colo, fazem barulho e às vezes agem de modo inconveniente só para conseguir nosso afeto. Quando percebemos que estão implorando para que passemos alguns momentos com elas, para que as abracemos e nos entreguemos de maneira pessoal, lembramo-nos de que temos a preciosa responsabilidade de encher o tanque de amor dessas criaturinhas.

As crianças mais velhas não se manifestam tanto quanto as mais novas, mas a necessidade de afeto é igualmente importante. Nossos filhos precisam sentir nosso amor e afeto de forma real, sobretudo no contexto da presença constante dos aparelhos eletrônicos. Caso contrário, a tentação de procurar afeto em lugares errados se acentua. Com orientação, seu filho poderá aprender a dar e a receber afeto da forma que Deus planejou, por meio de relacionamentos humanos saudáveis.

Para refletir

1. Como seu filho expressa afeto a você? Como você expressa afeto a ele?
2. Seu celular ou computador compete com seu filho por seu afeto?

3. Seu filho está mostrando menos afeto a você e a outras pessoas da família depois de ganhar um aparelho digital, como *tablet*, celular ou *video game*?
4. Relembre uma ocasião exitosa em que você conseguiu deixar os aparelhos eletrônicos de lado e "dar tudo de si" para seu filho (ou vice-versa, quando seu filho deixou de lado um aparelho eletrônico para ficar com você).
5. O que você acha do tempo que as crianças passam diante da tela em companhia dos amigos?
6. Qual o tempo de exposição de seu filho às redes sociais? Em sua opinião, as redes são úteis ou prejudiciais quando seu filho sente necessidade de que os outros gostem dele?
7. Seu filho joga/vê *video games* violentos? Se sim, isso tem afetado a empatia dele pelos outros? Como?
8. Como seu filho lida com o contato visual? Ele faz contato visual com você prontamente? Olha nos olhos de outros adultos ou amigos?
9. Em que aspectos o contato visual mostra afeto pela outra pessoa?
10. O que você poderia fazer para demonstrar afeto a seu filho de modo mais evidente?

4

A HABILIDADE "NOTA 10" DA GRATIDÃO

> "O sentimento de gratidão não é inato — é algo que aprendemos e, por conseguinte, ensinamos a nossos filhos."
>
> Joyce Brothers

Jesse e mais um grupo de alunos barulhentos do 3º ano aguardam na fila do almoço. A moça da cantina coloca arroz, feijão, frango grelhado, rodelas de tomate, suco de laranja e um biscoito na bandeja de Jesse. Ele pega a bandeja e caminha em direção à mesa, sem dizer uma palavra de agradecimento e sem fazer contato visual com a atendente.

É Dia de Natal, e Sarah não vê a hora de abrir seu presente. Rasga o papel de uma caixa pequena.

— Esperamos que você goste — a mãe de Sarah diz com um largo sorriso.

A caixa é aberta e deixa à mostra um *tablet* novo e reluzente de cor amarela.

— Ah, não! — Sarah diz com um suspiro de decepção. — Eu queria um turquesa!

Gabrielle está diante da pia da cozinha, lavando uma pilha de pratos do jantar. Seus pés doem por ela ter trabalhado o dia inteiro na loja de departamento. As crianças não ofereceram ajuda, e nem sequer se dispuseram a recolher a mesa. E, por falar nisso, ninguém agradeceu pelo jantar.

Há uma palavra em nossa língua capaz de amolecer qualquer coração, criar laços profundos e dar esperança aos cansados. Provavelmente você a conhece, mas talvez não a ouça com frequência em sua casa. A palavra é *obrigado*.

Imagine a diferença que faria no mundo da moça da cantina se Jesse e os outros adolescentes tivessem olhado nos olhos dela e dito: "Obrigado". Imagine se no Dia de Natal Sarah tivesse dito: "Ah, obrigada! Amei o presente!" e depois perguntado aos pais se poderia trocar o aparelho por um de outra cor. Imagine se os filhos de Gabrielle tivessem se esforçado para lavar os pratos e agradecido a refeição.

O coração grato pode transformar um dia mau num dia bom e uma criança infeliz numa criança feliz. Mas a gratidão não é uma característica natural das crianças — nem dos adultos. Seu filho precisa aprender a dizer "obrigado".

A inimiga da gratidão: condescendência

Maxwell, 5 anos, filho de Don, adorou o trenzinho que viu na vitrine da loja. Todas as vezes que ia ao *shopping*, arrastava os pais até a loja de brinquedos e suplicava pelo trenzinho. Era caro, mas seu aniversário estava chegando. Os pais compraram o trenzinho e o embrulharam para entregá-lo no dia do aniversário do filho. Estavam muito satisfeitos, pois sabiam quanto Maxwell queria o brinquedo.

Quando viu o trenzinho, Maxwell explodiu de alegria. Ficou muito feliz e emocionado com o novo brinquedo. Sentou-se na sala de visitas e brincou com ele o dia inteiro durante duas semanas. Depois de um mês, o trenzinho foi deixado de lado por vários dias. Agora Maxwell tinha a atenção voltada para um helicóptero. Convenceu os pais a comprar um para ele. Depois pediu um robô, um violão e um patinete. Os pais cansaram de sua insistência e cederam, achando que, se comprassem aquelas coisas, deixariam o filho feliz. Mas, em vez de ser grato, ele passou a querer mais e mais. "Quanto mais presentes ganha, menos ele os aprecia", observou Don.

As crianças que ganham tudo o que querem, sem que haja limites, tornam-se mimadas e egoístas. Não tente tornar seu filho feliz nem o resgatar para si cedendo a seus caprichos. Você não precisa dar a ele todos os jogos e todos os aparelhos que tem condições de comprar. A felicidade que ele sente ao receber bens materiais é temporária, na melhor das hipóteses. Prestamos um grande desserviço a nossos filhos quando lhes damos tudo o que pedem. Não é assim que o mundo real funciona.

Seu filho dirá muitas vezes: "Mas todo mundo tem um!" — o que, diga-se de passagem, não é verdade. Só porque seu filho pede alguma coisa não significa que você deva sair por aí satisfazendo os desejos dele. Os pais perguntam: "E se a linguagem do amor de meu filho for presentes? Ele não vai se sentir rejeitado se eu não der o que ele quer?". Ainda que a linguagem do amor de seu filho seja presentes, você não precisa comprar tudo o que ele deseja. Pense em como Deus cuida de nós. Deus não nos dá tudo o que queremos. Às vezes diz "não" ao que pedimos, às vezes diz "espere", e às vezes diz "sim". Deus é nosso exemplo de como cuidar dos filhos. Às vezes, dizemos "não" a nossos filhos porque sabemos que o que estão pedindo não será bom para eles. Em outras ocasiões, aguardamos um pouco porque eles ainda não estão preparados para receber o que desejam ou o preço não se encaixa em nosso orçamento.

As crianças que fazem os pais se sentirem culpados ou mesquinhos porque não lhes dão certas coisas precisam aprender a aceitar um "não" desde cedo. A maioria dos pais reconhece que a geração mais nova vive a reivindicar direitos. "Eu mereço isso" e "Você me deve aquilo" são atitudes que elas adquirem com facilidade. Mas a única coisa a que a criança tem direito é o amor dos pais. Não tem o direito de possuir tudo o que o vizinho possui. Não tem o direito de ter uma bicicleta nova ou o *tablet* mais moderno. Toda criança merece ser amada pelos pais. Se receber o amor incondicional dos pais, terá o maior tesouro do mundo. Se nós, pais, entendermos que o amor é o bem maior de que nossos filhos necessitam, deixaremos de tentar comprar a felicidade deles com bens materiais.

Podemos ajudar nossos filhos a ter uma noção melhor do que desejam e a ser mais gratos pelo que possuem. Ensine seus filhos a esperar. Por vezes, eles precisam aguardar até ter idade suficiente para ganhar determinado brinquedo ou aparelho eletrônico. No fim, eles apreciarão mais o brinquedo se tiverem esperado por ele ou se esforçado para adquiri-lo.

Os filhos mais entediados do mundo são os adolescentes cujos pais satisfazem a todos os seus desejos. Chegará um tempo em que não haverá mais nada que eles possam ganhar. Muitos começam a correr atrás do fruto proibido. Cansam-se das coisas normais da vida e começam a experimentar drogas, sexo e outras influências destrutivas, causando grande sofrimento à família.

Há um valor tremendo em deixar as crianças saberem que você teve de esperar para ganhar algumas coisas na vida. Lembre-se de que está educando futuros adultos. É difícil ter isso em mente quando você está andando por aí com um bebê e uma sacola de fraldas nos braços, mas a verdade continua a mesma. Se seus filhos crescerem tendo tudo o que querem, que tipo de adultos serão? Talvez você conheça um casal jovem que, mesmo sem condições financeiras, compra tudo no primeiro ano de casamento e, poucos anos mais tarde, vai à falência. Eles não aprenderam que precisam esperar pelo que querem ou apreciar o que possuem.

Gratidão ao longo dos anos

Nada é mais importante na vida que saber desenvolver relacionamentos positivos com as pessoas e com Deus. Se você preparar seu filho para desenvolver relacionamentos positivos, no futuro ele terá mais sucesso nos negócios, no casamento, na criação dos próprios filhos, no bem-estar emocional e espiritual. Um coração agradecido funciona como um alicerce. Talvez você se pergunte, ao ver seu filho pequeno falando alto e de maneira enfurecida, como pode haver um coração agradecido dentro daquele tirano de menos de um metro de altura. As crianças são capazes de mostrar gratidão? Se sim, com que idade?

Não existe uma idade determinada na qual ocorre uma mudança radical e seus filhos passam a entender, de repente, que devem expressar gratidão. No entanto, bem cedo, por volta dos 2 ou 3 anos, você pode começar a ensiná-los a dizer "obrigado". Há bons hábitos que as crianças assimilam desde cedo — como dizer "obrigado" ao pai ou mãe pela refeição ou depois de receber um presente. Quanto mais cedo você começar a ensinar seu filho a ser grato, mais chances ele terá de absorver os bons modos que constroem relacionamentos.

Crianças agradecidas entendem que o mundo não gira em torno de seus desejos e necessidades. Coisas como roupa lavada e passada, refeição quente e quarto arrumado não surgem de modo automático. A mãe ou o pai precisa trabalhar duro para fazer isso tudo acontecer. Crianças não entendem que outras pessoas tiveram de se esforçar para ajudá-las, mas podem aprender isso.

Aos 2 ou 3 anos, elas podem agradecer por objetos, pessoas, bichos de estimação e experiências específicas. A criança dessa idade é capaz de dizer: "Obrigada pela boneca" ou "Gostei muito, obrigado!".

Já aos 4 anos, além de agradecer por coisas materiais como brinquedos, as crianças são capazes de expressar gratidão por abraços, palavras de afirmação e outros atos carinhosos.

Aos 6 anos, são capazes de escrever bilhetes de agradecimento com a ajuda da mamãe ou do papai, abraçar uma pessoa querida e olhá-la nos olhos expressando gratidão. Já conseguem ligar para um parente distante a fim de agradecer o presente de aniversário.

Aos 7 ou 8 anos, podem escrever em um diário algumas coisas pelas quais são agradecidas todos os dias.

Aos 9 anos, muitas são maduras o suficiente para colaborar num projeto de assistência social para pessoas menos afortunadas. O trabalho como voluntário numa campanha de agasalho comunitária ou numa casa de repouso serve para abrir os olhos das crianças.

Aos 12 e 13 anos, seus filhos são capazes de fazer tudo o que os adultos fazem para demonstrar gratidão a outras pessoas. Podem preparar biscoitos, escrever cartas de agradecimento a professores e líderes da igreja ou participar de uma curta viagem missionária. Recentemente, minha neta (de Gary) de 14 anos preparou uma refeição inteira para a família em sinal de gratidão aos pais pelo trabalho que realizam todos os dias.

Eu (Arlene) lembro-me de ter jogado com minha filha Lucy um jogo de tabuleiro com pinos quando ela tinha 3 anos. Ela movimentava os pinos como queria, sem seguir as regras. Não fiz caso; o jogo era muito avançado para a idade dela. De repente, Lucy decidiu que o jogo havia terminado e gritou:

— Você perdeu! Você perdeu! — apontando para mim e sorrindo de satisfação.

— Lucy, isso é muito grosseiro — eu a instruí. — Você não pode apontar desse jeito para as pessoas e dizer que elas perderam.

Jogamos mais três vezes e deixamos o jogo de lado. Para minha alegria e surpresa, Lucy olhou para mim e disse:

— Obrigada por você ter passado um tempo jogando comigo.

Ela pode ter errado ao dizer: "Você perdeu!", mas o agradecimento no fim do jogo compensou tudo aquilo e muito mais. Mesmo quando pequenas, as crianças podem fazer muito mais do que imaginamos. Não espere até seu filho crescer um pouco mais para ensiná-lo a ser grato. No decorrer da infância, você poderá ser exemplo de um coração agradecido e instruir as crianças a expressar gratidão da maneira apropriada para a idade delas. Essas habilidades serão úteis a vida inteira.

Dez brincadeiras longe das telas para cultivar um coração agradecido em seu filho

Árvore genealógica. Peça a seu filho que desenhe uma árvore genealógica completa, com o nome dos pais, avós, irmãos, tias, tios e primos. Discutam as qualidades positivas que você aprecia em cada parente. Ore e agradeça a Deus por sua família.

Economizar dinheiro em favor de uma causa. Inscreva seu filho numa organização assistencial, de modo que ele possa patrocinar a cavação de um poço para uma família necessitada numa região carente do país. Ou envie brinquedos a uma família pobre no Natal. Deixe um cofrinho num lugar visível da casa para que todos possam contribuir com moedas e cédulas. Use a criatividade: por exemplo, deixem de comer a sobremesa durante uma semana e guardem o dinheiro economizado no recipiente.

Diário da gratidão. Peça a seu filho que escreva diariamente cinco coisas pelas quais ele é grato. No fim da semana, ele deve ler a lista em voz alta para a família.

Batata quente do agradecimento. Faça sua família sentar-se em círculo. Em lugar da batata quente, use uma bola, meias enroladas ou um bichinho de pelúcia. O objetivo da brincadeira é dizer algo pelo qual você seja grato e depois passar a "batata quente" para a pessoa ao lado. Perde quem não se lembrar de nada para dizer em cinco segundos.

Ser um bom vizinho. Façam docinhos ou assem biscoitos para seus vizinhos sem nenhum motivo especial. Prendam no pacote um bilhete de agradecimento ("Obrigado por ser um ótimo vizinho!") e assinem (seus filhos também devem fazê-lo). Entreguem o pacote juntos, para que seus filhos observem a reação dos vizinhos.

Caça ao tesouro. Peguem lápis e papel, andem por todo o cômodo e anotem todos os itens pelos quais vocês são agradecidos.

Escrever um bilhete especial. Peça a seu filho que pense em alguém importante na vida dele: um professor, o técnico do time de futebol, o pastor ou um parente. Ele deve completar a frase: "Você fez grande diferença em minha vida porque ______________________."

Arroz de novo? Ensine seus filhos a apreciar a variedade de alimentos. Para isso, ofereça-lhes somente arroz durante um dia. Não se preocupe, seus filhos não terão a saúde prejudicada e aprenderão uma lição memorável sobre o que muitas crianças do mundo comem todos os dias.

Pacote de doação. Seus filhos mais velhos têm roupas ou brinquedos que não usam mais? Encontre alguém na escola ou na igreja que tenha um filho que possa se beneficiar dessas roupas ou brinquedos. Faça um pacote grande e entregue-o à família.

Luta contra a fome. Apresentem-se como voluntários para trabalhar numa instituição de auxílio comunitário, ou encham sacolas com alimentos e distribuam por conta própria. Converse com sua família sobre a experiência na hora do jantar.

De "tenho de fazer" para "quero fazer"

Eu (Arlene) cresci como filha única. Meu marido, o caçula de quatro irmãos, é rápido em dizer que, embora eu não fosse "supermimada", fui mimada com certeza. A primeira vez que lavei minhas roupas foi no primeiro ano da faculdade. James já lavava as próprias roupas desde o ensino fundamental.

Ao participar das tarefas domésticas, as crianças se dão conta de que manter a casa em ordem exige esforço, e passam a ser mais agradecidas. Seguindo os passos de James, nossos filhos lavam as próprias roupas, ajudam a lavar e guardar a louça e completam as tarefas domésticas. Uma tarde, enquanto eu escrevia, meus filhos, na época com 6 e 8 anos, estavam discutindo para saber quem limparia os banheiros. Mas eles estavam discutindo porque *os dois* queriam fazer a limpeza. Pelo jeito, é divertido ver a água ficar azul, espirrar o limpador no vaso e esfregá-lo com uma escova.

Use todas as oportunidades para transformar o "tenho de fazer" em "quero fazer". Para a maioria de nós, limpar o banheiro é uma obrigação, mas, para meus filhos, era um ato voluntário. Pense nas atitudes diferentes expressas nestas duas frases: "Tenho de ir à escola" e "Quero ir à escola".

Shawn Archor, autor e professor em Harvard, foi convidado para fazer palestras por toda a África. Um dos lugares foi numa escola perto de um vilarejo de palhoças onde não havia eletricidade e pouquíssima água corrente. Ele percebeu que muitas de suas histórias sobre Harvard e sobre alunos norte-americanos privilegiados não produziriam eco ali. Tentando encontrar um ponto de referência, perguntou a um grupo de crianças: "Quem aqui gosta de fazer os deveres de casa?". Esperando que a aversão universal pelos deveres de casa produzisse uma reação comum, ele surpreendeu-se ao ver o oposto. A maioria absoluta das crianças levantou a mão e sorriu entusiasmada.[1] Aquelas crianças consideravam o dever de casa um privilégio — um "quero fazer" —, algo que os pais delas nunca tiveram a oportunidade de conseguir.

Todos nós temos lições a aprender sobre gratidão com aquelas crianças. Possuíam algumas poucas peças de roupa, porém eram gratas pelo que tinham. Um domingo de manhã, antes da igreja, eu (Arlene) estendi um vestido novo de veludo cotelê cor-de-rosa na cama de Noelle.

— Este é o vestido que você vai usar hoje — eu disse.

Ela olhou para o vestido, arrasada.

— Não gosto nem um pouco dele — disse, finalmente.

— Bom, eu o comprei para você, e é o que vai usar hoje. Qual é o problema? — perguntei.

— Parece a roupa de trabalho da Cinderela.

Forcei-a a usar o vestido, mas ela não ficou feliz.

Nossos filhos *têm de* usar as roupas que os outros adorariam ter (mesmo que de fato pareçam a roupa de trabalho da Cinderela). Cabe a nós ensiná-los a valorizar o que possuem. Eles devem ser gratos porque têm roupas limpas para usar. Devem *querer* limpar o banheiro porque felizmente têm água corrente em casa, necessidade de que grande parte do mundo carece. Devem *querer* ir à escola e receber excelente educação. Muitas crianças não têm a oportunidade de aprender a ler.

Essa pequena mudança de atitude e gratidão fará enorme diferença na vida de seus filhos quando forem adultos. Eu e Noelle, que na época estava com cerca de dezoito meses, estávamos fazendo compras em uma loja de roupas. Seu rosto rechonchudo exibia um largo sorriso. A vendedora trajava roupas elegantes, porém tinha uma postura meio azeda. Ela brincou com Noelle: "Você está sorrindo agora porque está passeando dentro deste carrinho. Espere até ter um emprego e trabalhar o dia inteiro. Vamos ver se vai sorrir então!".

Pensei que, mesmo que eu pusesse aquela mulher num belo carrinho e a empurrasse o dia inteiro pela loja de departamento, ela encontraria motivos para se queixar. Quando consideramos nosso trabalho uma obrigação, não um prazer, isso exerce influência negativa em nosso humor e em nosso desempenho. Você pode oferecer um presente incrível a seus filhos ensinando-os a ser gratos — no trabalho e no lazer.

Todo dia é Dia de Ação de Graças

A gratidão é a razão de ser do Dia de Ação de Graças, mas, se for a única ocasião em que a família verbaliza os motivos pelos quais é grata, não é suficiente. Gratidão é algo que as crianças aprendem melhor por meio de exemplos no dia a dia. O pai pode dizer à mãe (ou vice-versa): "Agradeço muito pelo trabalho que você teve para fazermos esta refeição juntos. Está deliciosa". Se as crianças sempre ouvirem os pais agradecendo um ao outro, aprenderão a fazer o mesmo. Procure motivos para agradecer a seu cônjuge e a seus filhos todos os dias. "Obrigado por ter levado o lixo para fora", "Agradeço muito por você ter separado a correspondência", "Obrigada pelo abraço". Se o agradecimento fizer parte da vida no lar, seus filhos viverão sempre agradecidos pelo que os outros fazem por eles.

Se você entender que é sua responsabilidade ser exemplo de gratidão para seu filho, passará a ver o mundo de outra forma. Começará a procurar as bênçãos e notará com mais facilidade o esforço dos outros. Eu (Arlene) estava num café com meus filhos. Vi que o nome da barista era Marissa. Disse a meus filhos em voz alta para que ela pudesse ouvir: "Vocês sabiam que Marissa precisa saber como preparar centenas de bebidas diferentes e que esse é um trabalho muito difícil? Ela está se esforçando para fazer o melhor café para a mamãe. Obrigada, Marissa!". O rosto de Marissa se iluminou. Meus filhos estavam aprendendo a agradecer aos outros, e fiquei feliz por ter deixado o dia de Marissa mais feliz. A gratidão abençoa todos os envolvidos.

Uma pesquisa mostra que as pessoas gratas são mais alegres e menos deprimidas. Crianças que sentem e demonstram gratidão tendem a ser menos materialistas, tiram notas melhores, estabelecem objetivos mais elevados, quase não reclamam de dor de cabeça e de estômago e sentem-se mais satisfeitas com os amigos.[2] A gratidão também está ligada a níveis reduzidos de agressividade. Crianças que expressam gratidão têm mais empatia com as outras crianças e são menos propensas a agressões e comportamentos violentos.[3]

Meu filho (de Arlene) Ethan e eu estávamos na Disneylândia com outra família para comemorar o nono aniversário dele. Ethan podia escolher todos os passeios e *shows* que desejasse. Ele havia pensado muito, descrevendo várias vezes para mim os passeios de que gostaria de participar. Tenho certeza de que ficou acordado muitas noites na cama, sonhando com aquele dia.

Um dos passeios que ele queria fazer era o monotrilho, portanto o deixamos para o finzinho do dia. Chegamos à estação do monotrilho cinco minutos antes que o parque fechasse, prontos para nossa saideira. O monotrilho, porém, encerrou suas atividades antes da hora! Ficamos imóveis diante da placa. Vi o semblante de decepção de Ethan. Havíamos perdido a oportunidade. Uma nuvem cinzenta desceu sobre o fim de um dia que seria perfeito.

— Sinto muito, Ethan. Eu não esperava que fechasse tão cedo.

— Não acredito que perdi o passeio... — ele resmungou.

— Vamos passar ali na barraquinha de *souvenires* na saída — sugeri.

Depois de alguns minutos, comecei a falar sobre as coisas maravilhosas que pudemos fazer naquele dia: "Lembra que não havia fila na montanha-russa? Foi muito legal quando o limpador de chaminé de *Mary Poppins* lhe disse 'feliz aniversário' enquanto desfilava!". A cada passo em direção à saída, Ethan foi ficando cada vez mais calmo e grato pelo que tinha acontecido, em vez de aborrecer-se pelo que não havia acontecido. Quando chegamos à barraca de *souvenires*, ele parecia ter voltado a ficar alegre. Mais tarde no carro, ele disse aquelas palavras mágicas: "Muito obrigado, mãe, por ter me trazido à Disneylândia hoje".

Você pode ajudar seus filhos a agradecer mesmo quando as coisas não saem conforme o planejado. Deixe que eles experimentem a sensação agradável de paz e contentamento que ocorre quando aprendemos a dizer "obrigado" todos os dias.

A gratidão contagia

Quando seus filhos entram na adolescência, você descobre que boa parte da comunicação deles com os amigos ocorre numa tela, por meio de mensagens instantâneas e postagens. A habilidade "nota 10" da gratidão precisa ser praticada tanto *on-line* quanto *off-line*. Quando nossos filhos interagem com os amigos por meios virtuais, queremos que usem palavras positivas e de gratidão.

Infelizmente, muitos adolescentes vidrados em aparelhos eletrônicos não são ensinados a tratar os outros *on-line* com respeito e educação. Navegar com os amigos numa tela parece ser um relacionamento mais comercial que humano. Podemos deletar amigos que nos irritam e encontrar novos. As pessoas são tratadas como mercadorias, existindo para nossa conveniência e para atender às nossas necessidades.

É comum os adolescentes dizerem palavras ofensivas nas mensagens de texto. Caracteres que parecem sem sentido para um adulto transmitem mensagens ofensivas e ferinas aos adolescentes que as recebem. Precisamos ensinar nossos filhos, enquanto são pequenos, a valorizar e respeitar os outros face a face e também quando se comunicam virtualmente.

Um grupo de alunos do ensino médio de Iowa está chamando a atenção de maneira positiva para o tempo que passam diante das telas. Jeremiah Anthony criou uma conta no Twitter para seus colegas de escola com intuito de enfrentar a onda do *bullying* cibernético. Sua missão: tuitar comentários positivos sobre os colegas. Ele e os amigos já tuitaram mais de 3.500 elogios a alunos específicos, com mensagens que vão desde "Você é o cara, um dos melhores corredores da escola" até "Continue amando e cuidando de todos". Essas mensagens foram levadas ao ar em rede nacional na televisão, um indicador de quanto é raro encontrar uma fonte de gratidão na internet.[4]

Você pode ensinar seu filho a remar contra a maré. Enquanto os outros derrubam as pessoas, eles as levantam. Enquanto os outros se dedicam a adquirir mais bens materiais, eles os superam com atos de generosidade. Enquanto os outros procuram os melhores amigos *on-line*, eles os encontram *off-line*. Enquanto os outros reclamam da vida, eles são agradecidos.

O poder da gratidão pode mudar a atitude e as ações de seu filho para melhor, tanto no mundo real quanto no digital. Instruir seu filho a pensar, falar e escrever mensagens de agradecimento é algo que começa em casa, com palavras de gratidão e exemplos dados por você.

Para refletir

1. Você acredita que seu filho agradece o que você faz por ele como pai ou mãe?
2. Você precisa cutucar seu filho para ele dizer "obrigado" ou ele expressa gratidão espontaneamente?
3. Descreva uma ocasião em que você ensinou uma lição de gratidão a seu filho.
4. Qual é sua sensação quando seu filho ganha um presente, mas não parece grato por ele?
5. Qual é sua reação quando seu filho diz: "Mas todo mundo tem um!"?
6. Qual é o valor de fazer o filho esperar em vez de ceder aos desejos dele imediatamente?
7. Seu filho já lhe disse "obrigado" de um jeito que deixou você emocionado?

8. Consulte a seção "Dez brincadeiras longe das telas para cultivar um coração agradecido em seu filho" na página 66. Qual você gostaria de tentar com sua família?
9. Como demonstrar gratidão o ajudou na vida adulta a viver bem com os outros?

5

A HABILIDADE "NOTA 10" DO CONTROLE DA RAIVA

> "Quando estiver com raiva, conte até dez antes de falar. Se estiver com muita raiva, conte até cem."
>
> Thomas Jefferson

É hora do intervalo e a turma do 1º ano da sra. Granger está brincando ao ar livre. Catherine e sua amiguinha brincam de jogar bola uma para a outra.

— Quero a bola — diz John, correndo em direção às meninas.

— Não — Catherine diz. — Estamos brincando com ela.

Minutos depois, John está de volta. Ele toma a bola de Catherine e lhe dá um forte empurrão, atirando-a no chão. Ela começa a chorar. A sra. Granger vê John derrubar Catherine e corre para intervir.

— John — ela diz, olhando-o nos olhos. — Usamos as mãos para bater palmas.

A campainha toca indicando o fim do intervalo, e a sra. Granger ajuda Catherine a entrar na sala de aula. John pode ter aprendido que as mãos foram feitas para bater palmas, mas o que ele precisa realmente aprender é controlar a raiva. A sra.

Granger não forçou John a assumir a responsabilidade por ter jogado no chão uma coleguinha de classe. Em vez disso, recebeu uma vaga instrução de que as mãos foram feitas para outras coisas, como bater palmas.

O que mais a sra. Granger poderia ter dito? Teria sido bem melhor dizer: "John, foi errado você ter empurrado Catherine ao chão. Não pode tratar ninguém assim no pátio da escola. Por ter agido dessa maneira, amanhã você não participará do intervalo". Depois, ela poderia ter feito algumas perguntas para ajudar John a entender o que havia acontecido. "John, por que você ficou com tanta raiva? Como acha que Catherine se sentiu quando você a empurrou? O que você pode fazer de diferente na próxima vez?"

Não é preciso ensinar os filhos a sentir raiva; ela ocorre automaticamente. Nossa tarefa é ensiná-los a controlar a raiva. Quando seu filho ficar irritado, não o distraia oferecendo um *video game* ou o doce favorito. Distrações, adiamentos ou desvios de atenção não ajudam a criança a aprender a lidar com as emoções de modo saudável.

Quando eu (Gary) falo a pais de todo o país, noto que a maioria anseia saber como ajudar os filhos nessa área importante de desenvolvimento. Apresento os princípios a seguir em sessões de aconselhamento e em *workshops* especiais para os pais. São princípios simples de entender, mas não necessariamente fáceis de pôr em prática.

Veja como eu faço

Dada a natureza do relacionamento entre pais e filhos, são os pais que mais exercem influência nas atitudes dos filhos em relação ao controle da raiva. Esse fato deveria nos dar ânimo, pois nos possibilita ensinar habilidades positivas de controle da raiva a nossos filhos. Em contrapartida, essa pode ser uma realidade assustadora se tivermos a tendência de gritar com raiva ou de escolher o silêncio frio.

Felizmente, os adultos podem aprender a mudar atitudes destrutivas e criar maneiras novas e mais saudáveis de lidar com a raiva. Scott e Dee foram a meu consultório porque Matt, o filho deles de 14 anos, tinha um sério problema de irritação. Gritava e berrava com os pais constantemente.

"Não acho que ele deveria falar assim conosco", disse Dee. "Eu grito com Matt e, quando ele sai de casa, grito com Scott, dizendo a ele que não deveria permitir que Matt se dirigisse a nós daquela maneira. Talvez seja eu quem precisa de ajuda."

Dee cresceu num lar italiano onde todos gritavam uns com os outros, mas quando a gritaria acabava, acabava de vez. Scott, por outro lado, foi criado num lar onde o pai gritava e vivia perdendo o controle. Quando isso acontecia, Scott permanecia em silêncio. A reação de Dee à raiva era gritar. A reação básica de Scott era se calar. Ambos aprenderam algumas reações com os pais, e agora estavam exemplificando para o filho a falta de controle para lidar com a raiva.

Em geral, os adultos só se conscientizam de que deveriam controlar a raiva quando observam a reação dos filhos à irritação. Com frequência, as crianças refletem o que aprenderam com os pais. Desde que Matt era criança, Dee desabafava a raiva gritando e berrando quando ele se comportava mal. Agora, Matt desabafa a raiva da mesma forma.

Trabalhei com Dee e Scott ao longo de várias sessões, ajudando-os a falar da raiva um com o outro de maneira aberta, carinhosa e não condenatória. Posteriormente, Dee e Scott disseram a Matt que o exemplo que davam ao lidar com a raiva não era muito positivo e que buscariam aconselhamento. Matt pareceu gostar da ideia, embora não tivesse dito muita coisa na ocasião. No entanto, os pais perceberam que o filho começou a entender a mensagem quando, certa noite em que Dee estava ficando cada vez mais tensa, Matt disse:

— Mãe, acho que você precisa pegar aquele cartão e ler para o pai.

— Acho que você tem razão, Matt — disse Dee. — Obrigada.

O casal surpreendeu-se uma noite, mais ou menos dois meses depois, quando Matt entrou na sala segurando um cartão e leu estas palavras: "Estou com raiva neste momento, mas não se preocupem, não vou agredir vocês. Porém, preciso de sua ajuda. É uma boa hora para conversarmos?". Ambos caíram na gargalhada.

— Estou falando sério, gente — disse Matt. — Estou com raiva e preciso conversar com vocês.

Os pais deram toda a atenção a Matt. O filho estava refletindo a transformação que vira nos pais. Dee e Scott estavam aprendendo a lidar com a raiva de modo construtivo — e o filho deles também. Quando nós, pais, aprendemos a lidar com nossa própria raiva de maneira saudável, temos condições de orientar nossos filhos a lidar com a raiva deles.

Busca desesperada pela orientação dos pais

Da mesma forma que precisa aprender a amarrar os sapatos ou a andar de bicicleta, seu filho também precisa aprender a controlar a raiva. A criança expressa raiva de duas maneiras: por palavras ou por comportamento. Ambos os casos têm aspectos positivos e negativos.

Por comportamento, a criança expressa raiva empurrando, sacudindo, agredindo, atirando objetos, puxando cabelo ou batendo com a cabeça na parede. Evidentemente, essas são reações negativas à raiva. Em contrapartida, sair da sala, contar até cem em voz alta ou dar um passeio são reações maduras. Permitem que a criança se acalme e lide com a raiva de modo construtivo.

Por palavras, a criança às vezes grita e berra para rejeitar uma ordem ou usa linguagem indecorosa ou palavrões. Tudo isso são formas destrutivas de verbalizar a raiva. A criança madura, porém, reconhece que está com raiva e pede uma oportunidade para discutir os problemas que a afligem no momento. Sua tarefa como pai ou mãe é entender seu filho e ajudá-lo a aprender maneiras mais construtivas de lidar com a raiva.

Se seu filho estiver gritando de raiva com você, ouça! Faça perguntas com calma e deixe que ele desabafe a raiva. Quanto mais perguntas você fizer e quanto mais o ouvir, mais o tom de voz dele baixará. Concentre-se no motivo da raiva de seu filho, não em como ele a está expressando. Se ele achar que foi injustiçado, a raiva só desaparecerá quando sentir que você o ouviu e entendeu sua forma de protestar.

Talvez você se pergunte: "Acaso devo permitir que meu filho grite comigo?". Claro que gritar não é um modo apropriado de lidar com a raiva. No entanto, naquele momento, você quer ouvir as preocupações de seu filho. Mais tarde, poderá conversar de modo mais saudável para saber o que tanto o incomoda. Alguns pais esperam que os filhos adolescentes sejam mais maduros que eles. Lembro-me do que um adolescente me disse em uma sessão: "Meu pai grita e berra comigo dizendo que devo parar de gritar e berrar com ele". Quando os pais dizem: "Você não vai falar assim comigo. Cale a boca e vá para o quarto", eles estão varrendo a raiva do filho para debaixo do tapete.

Se os pais não ouvirem os protestos do filho e não procurarem entender por que ele se sente daquela maneira, a raiva da criança será internalizada e posteriormente se manifestará em seu comportamento. Os psicólogos dão a isso o nome de comportamento passivo-agressivo. O filho é passivo por fora, mas por dentro a raiva vai aumentando até manifestar-se em forma de condutas agressivas, como tirar notas baixas, experimentar drogas, ter atividade sexual, "esquecer-se" de fazer o dever de casa ou outro comportamento que o filho sabe que aborrecerá os pais. Se eles entenderem o perigo extremo do comportamento passivo-agressivo, não medirão esforços para ouvir as reclamações do filho no momento da raiva dele, prestarão a devida atenção aos problemas, procurarão entendê-los e encontrarão uma solução.

Isso não significa que o pai ou a mãe deve sempre fazer o que o filho pede. A raiva da criança é, em geral, distorcida — isto é, baseia-se num erro de percepção, não num erro definitivo. É acionada por decepção, desejo não realizado, esforço frustrado ou mau humor. Nada disso tem a ver com um malfeito genuíno. Você pode ajudar seu filho a fazer duas perguntas para determinar a legitimidade da raiva: "Que erro foi cometido?" e "Tem certeza de que me contou tudo?".

Quando seu filho estiver com raiva, dê-lhe o conselho sensato de contar até dez (ou até cem, no caso dos filhos mais velhos) até que a raiva diminua. Depois, peça-lhe que complete a frase: "Estou com raiva porque __________". Thomas, 7 anos, ficou zangado porque Kayla, a irmã mais nova, rabiscou todo o dever de casa dele. Ela cometeu um erro. Analisemos os fatos. Ela rabiscou de propósito ou sem querer? O sorriso maroto no rosto dela, seguido de uma confissão, diz que Kayla rabiscou de propósito. Kayla desculpou-se com Thomas e ficou sem usar os lápis coloridos por alguns dias.

Toda manifestação de raiva dá ao pai ou à mãe a oportunidade de orientar o filho durante o episódio, tratar os problemas e encontrar uma solução. Todas as vezes que isso for feito, a criança aprenderá um pouco mais a verbalizar a raiva. Infelizmente, em razão do tempo que pais e filhos passam diante das telas, muitas dessas oportunidades de aprendizado são desperdiçadas, porque os membros da família estão ocupados e distraídos demais para lidar com a raiz da explosão de raiva dos filhos. A orientação dos pais é extremamente necessária para ajudar as crianças a lidar com a raiva de modo responsável.

Raiva "positiva" *versus* raiva "negativa"

RAIVA "POSITIVA" *(definida)*	**RAIVA "NEGATIVA"** *(distorcida)*
Descrição: Raiva por algum tipo legítimo de erro, malfeito, injustiça ou violação das regras.	**Descrição:** Raiva por uma aparente injustiça cometida sem má intenção.
Acionada por: Violação das regras ou do código moral.	**Acionada por:** Pessoas que nos magoaram ou irritaram, estresse, fadiga, expectativas irreais.
Como reconhecer: Se você puder responder "sim" a estas perguntas: "Que erro foi cometido?" e "Conheço todos os fatos?".	**Como reconhecer:** Sentimentos de frustração ou decepção alimentam a raiva.
O que fazer: Confrontar a pessoa ou decidir ignorar o erro.	**O que fazer:** Deter a raiva e reunir informações para lidar com ela.

Iniciando conversas sobre a raiva

Meus filhos (de Arlene) adoram representar em diferentes cenários; portanto, por que não treinar sentir raiva por meio de dramatização? É mais fácil ensinar princípios a seus filhos a respeito da raiva quando eles *não* estão com raiva. No calor do momento, nenhuma criança está disposta a ouvir sermões.

Apresentei às minhas duas filhas, de 4 e 7 anos, o seguinte roteiro: Noelle entra no quarto e vê Lucy, a irmã mais nova, usando seu vestido favorito, além dos sapatos e da tiara.

Cena 1:

Noelle (gritando): Lucy! Você não pode usar minhas coisas! Tire já esse vestido. Devolva meus sapatos e a tiara! (Noelle arranca os sapatos com força dos pés de Lucy e pega a tiara.)

Cena 2:

Noelle (calma): Lucy, você está muito bonita. Mas tem uma coisa errada. Você não pediu para usar minhas roupas. Por favor, tire tudo, senão vou contar para a mamãe.

Acredite em mim, a cena 1 foi muito mais realista! Representar nesses cenários foi divertido e nos ajudou a desenvolver uma rápida conversa sobre raiva e como expressá-la de forma responsável.

Há muitas maneiras e lugares para os pais instruírem os filhos sobre assuntos relacionados à raiva. Dependendo da idade, há métodos eficazes de ajudar a criança a entender e a lidar com a raiva de modo eficaz.

Para as crianças mais novas, *ler e discutir histórias da Bíblia* cujo foco é a raiva é uma forma interessante de instrução.

Histórias como a de Caim e Abel, José e seus irmãos, Jonas e sua ira contra Deus, e Jesus e sua ira contra os cambistas proporcionam informações importantes para compreender a raiva.

Memorizar trechos importantes da Bíblia também é um método excelente de instrução para as crianças. Reflita sobre estes versículos:

- "O tolo mostra toda a sua ira, mas o sábio a controla em silêncio" (Provérbios 29.11).
- "Quem tem entendimento controla sua raiva; quem se ira facilmente demonstra grande insensatez" (Provérbios 14.29).
- "E 'não pequem ao permitir que a ira os controle'. Acalmem a ira antes que o sol se ponha, pois ela cria oportunidades para o diabo" (Ef 4.26-27).

Para as crianças mais velhas, *ler e discutir este capítulo* pode ser uma forma excelente de instruí-las sobre como lidar com a raiva. Outro método seria incentivar a criança a escrever uma redação sobre o assunto. Seu filho poderia entrevistar pais e avós para reunir ideias sobre a origem da raiva e sobre como lidar com ela de modo construtivo. Esse pode ser um projeto esclarecedor para a criança mais velha ou adolescente.

A *conversa franca*, dando espaço para que seu filho faça perguntas e comentários, pode ser um trampolim não apenas para discutir o assunto da raiva, mas também para contar como você lidou com a raiva no passado e que mudanças positivas podem ser feitas. Nessa conversa em família, os pais devem contar ao filho as lutas que eles próprios tiveram com a raiva. Tal vulnerabilidade cria um ambiente para a criança verbalizar as próprias lutas ou fazer perguntas.

Essas conversas podem ser facilmente iniciadas se você mencionar à criança algo que leu recentemente. Por exemplo:

— Li outro dia um artigo sobre raiva. O texto dizia que muitos pais não têm ideia de quantas vezes perdem a cabeça com os filhos e dizem palavras que os magoam, e que os pais nunca se lembram do que disseram. Pensei: será que eu costumo agir assim?

— Bem, mãe, já que você tocou no assunto...

Quando você traz sua própria raiva para o centro da conversa, não a raiva de seu filho, ele se torna mais receptivo e revela o que pensa sobre seu modo de lidar com a questão. Essas conversas são extremamente instrutivas para o filho — e para os pais.

A necessidade que seu filho tem de ser amado é o alicerce da conversa significativa. Se ele não se sentir amado por você, sentirá ainda mais raiva e todos os seus esforços para instruí-lo provavelmente serão rejeitados. Você aprenderá mais sobre as cinco linguagens do amor no capítulo 10. As crianças que se sentem seguras do amor dos pais têm muito mais probabilidade de tomar decisões sábias; e, quando fazem escolhas erradas, têm muito mais probabilidade de aprender com os próprios erros e corrigir comportamentos futuros. Em se tratando de ensinar um filho a lidar com a raiva, nada é mais fundamental que oferecer amor incondicional.

Os *video games* estimulam a raiva?

Tony era um típico aluno do 5º ano. Gostava de esportes mais que dos deveres de casa, mas tirava boas notas na escola. Depois dos treinos de futebol e dos deveres de casa, ele tinha permissão para jogar *video game*. Tony descobriu quais eram os *games* que os alunos do 6º ano jogavam. Não demorou muito, começou a jogá-los também. Embora a classificação dos jogos fosse para maiores de 17 anos, todos os colegas de sala de Tony jogavam, então os pais do garoto imaginaram que não haveria problema.

Depois de alguns meses, porém, os pais de Tony notaram uma mudança no filho. A professora telefonou para contar que ele estava brigando com um colega de sala e que a desrespeitou. Em casa, ele tinha pouca paciência com a irmãzinha e batia nela com frequência. Se os pais perguntassem o que havia de errado, ele se zangava ainda mais.

Quando passam muito tempo jogando (principalmente se forem jogos violentos), em geral as crianças ficam mal-humoradas, zangadas, impacientes e propensas a discutir.

Assim como os adultos, as crianças precisam de descanso e tempo para recarregar a energias. Para isso, o melhor é brincar ao ar livre, sentar-se para ler um bom livro ou abraçar os pais e conversar com eles. Não há relaxamento diante de uma tela, embora seja assim que muitas crianças passem o tempo livre. Sem um tempo de descanso e relaxamento visual, as crianças tornam-se inquietas e propensas a se enraivecer. E mais: o mundo das telas dá destaque à velocidade, por isso a criança habituada a computadores tem pouca paciência para o ritmo da vida real. Em consequência disso, quando ela tem de esperar por alguma coisa, sua impaciência transforma-se rapidamente em frustração e raiva.

Muitas pessoas gostam de pensar que a violência nos *video games*, filmes e programas de televisão não exercem influência sobre as crianças. A realidade é que seu filho sofre influência de tudo o que está diante dele. A violência nas telas é especialmente perigosa, porque não ensina a criança a relacionar-se corretamente com as pessoas. Os jogos de tiro em primeira pessoa e os filmes na televisão ensinam a criança a explodir alguém, a destruir o outro. Você pode pensar: "Bom, é só um jogo" ou "Acontece na televisão, não na vida real". No entanto, uma pesquisa mostra que as crianças que ficam muito tempo envolvidas com filmes ou jogos violentos têm muito mais probabilidade de envolver-se com violência. Mais de mil estudos e publicações científicas mostram que a exposição exagerada à violência nas mídias aumenta a agressividade, torna as crianças insensíveis à violência e as leva a acreditar que o mundo é um lugar mais vil e assustador do que realmente é.[1]

Os *video games* são especialmente perigosos porque a criança não assiste passivamente a um ato violento, ela participa dele. Quanto mais a criança se envolve, mais aprende com a experiência. Os jogos também criam um sistema de estímulo. A criança é recompensada por comportamentos destrutivos, vez após vez. Se seu filho jogar um ou dois *games* violentos, o efeito será pequeno. Mas, se ele jogar diversos *games* violentos vários dias por semana durante anos, não sairá ileso. Há uma correlação entre a raiva e a violência na tela. Precisamos tomar todo o cuidado com o que nossos filhos têm permissão para ver. Se você perceber que os *games* que seu filho está jogando não são recomendáveis, proíba esse tempo diante da tela e estabeleça o objetivo de dar fim a esses jogos. Substitua os *games* violentos por outros mais criativos e que não incluam agressividade, e procure encontrar amigos para seu filho que gostem de outras coisas além de jogar virtualmente.

Raiva *on-line*

Talvez a raiva de seu filho não esteja ligada ao tempo que ele passa diante das telas, mas ao tempo que *você* passa. Muitas crianças ficam frustradas, tristes e zangadas porque têm de competir com os aparelhos eletrônicos para conseguir a atenção dos pais. Lugares que tradicionalmente eram espaços para os pais interagirem com os filhos tornaram-se lugares para os adultos falarem ao celular. A mãe usa o celular com fones de ouvido no carro, no parque e nas festas de aniversário. Trata-se de um comportamento socialmente aceitável, mas o que comunica a seu filho? Se ele ouve o tempo todo: "Espere um pouco, querido, estou falando ao telefone", isso comunica que passar tempo com ele não é tão importante quanto bater papo pelo celular.

A vida na era digital apresenta novos desafios de como se relacionar com amigos *on-line* e como passar esses hábitos aos filhos. Um dos problemas da tecnologia para as crianças é que a tela permite ao usuário um anonimato que suaviza as consequências. As crianças podem não dizer palavras de ódio às outras crianças frente a frente, mas podem registrar um pseudônimo no computador e deixar postagens raivosas ou enviar *e-mails* grosseiros. Podem descontar sua ira e frustração em outra pessoa. É mais fácil que nunca magoar alguém — basta apertar a tecla "enviar".

O *bullying* cibernético vem sendo usado deliberadamente nas mídias digitais para transmitir informações falsas, constrangedoras ou hostis a respeito de alguém. As crianças podem enviar um *e-mail* para ridicularizar uma pessoa ou deixá-la zangada. Podem menosprezar alguém numa sala de bate-papo ou postar uma foto constrangedora nas redes sociais. O *bullying* cibernético é um passatempo perigoso e letal para muitas crianças e adolescentes.

Quase 30% dos adolescentes dos Estados Unidos relatam alguma experiência com *bulllying*, como vítima, como opressor ou ambos.[2] Os garotos têm mais probabilidade de se envolver em agressão física, ao passo que as garotas são mais propensas a agressões verbais. Portanto, tenha sabedoria e preste atenção especial em como sua filha usa as telas para se comunicar. Se descobrir que seu filho está intimidando outra criança *on-line*, tire o celular ou o *tablet* dele por dois dias. Se acontecer de novo, restrinja o uso dos aparelhos por mais tempo. Assim que entender que não pode envolver-se nesse tipo de comportamento, a criança aprenderá a não transgredir as regras.

Você pode começar a ensinar seu filho a ser educado *on-line* antes da adolescência. Quando ele tiver idade suficiente para enviar mensagens de texto ou *e-mails*, será o momento certo para ensiná-lo o que é e o que não é correto dizer virtualmente. Você pode transmitir informações: "Estaremos no portão principal amanhã" ou "Gostaria de comer *pizza* esta noite". Pode enviar elogios e incentivos: "Obrigado por ter ouvido minha história hoje" ou "Gostei muito de sua camisa". Mas o que você não pode fazer é usar aparelhos eletrônicos para expressar raiva. Não diga *on-line* a alguém o que não diria se a pessoa estivesse em sua frente. Se seu filho aprender a usar as redes sociais para insultar os outros ou vingar-se de alguém que o deixou zangado, esse se tornará um hábito pernicioso e difícil de superar na vida adulta. Palavras virtuais agressivas podem ser lidas repetidas vezes, marcando a vida emocional da criança. Ensine seus filhos a lidar com a raiva na vida real, não nas telas.

Diálogos úteis para você e seu filho irado

Se você costuma discutir com seu filho, talvez possa livrar-se desse hábito dizendo:

"Andei pensando sobre nós e percebi que não sou bom ouvinte. Em geral, quando você está bravo com alguém, eu também fico bravo. Quero muito ser um ouvinte melhor. No futuro, vou tentar fazer mais perguntas e procurar entender o que você sente. Dou muito valor às suas ideias e sentimentos."

Se seu filho estiver empurrando alguém, gritando ou atirando objetos, concentre-se primeiro na raiva e depois no comportamento.

"É evidente que você está muito irritado. Gostaria de saber o que o está aborrecendo, mas não podemos conversar enquanto você estiver ________. Quer dar um passeio para falarmos sobre isso?"

Se você perder as estribeiras com seu filho, disponha-se a confessar seu erro.

"Filho, lamento muito ter perdido as estribeiras esta tarde. Não lidei bem com a raiva e fui grosseiro quando falei com você. Algumas coisas que eu disse não são o que sinto de verdade. Eu estava errado e peço a Deus que me perdoe. Quero pedir que você me perdoe também."

Seu pedido de perdão facilitará as coisas para seu filho quando ele tiver de pedir perdão no futuro.

Para refletir

1. Seu filho tem dificuldade de controlar a raiva?
2. Quando ele manifesta raiva, você tenta distraí-lo com outra coisa?

3. Se seu filho lidasse com a raiva da mesma forma que você lida, você ficaria satisfeito? Se não, o que você poderia fazer para controlar melhor a raiva com seu filho?
4. Encene situações com seus filhos para ajudá-los a controlar a raiva. Algumas sugestões: O que faria se outra criança pegar o brinquedo que estava em suas mãos? O que faria se outra criança o ofendesse com palavrões?
5. Relembre a última vez que você se irou com seu filho ou vice-versa. O que aconteceu? O que você fez de correto? O que poderia fazer na próxima vez?
6. Seu filho sofre com explosões frequentes de raiva? A seu ver, o que está por trás dessa raiva?
7. Analise os *video games* que seu filho tem jogado. Alguns deles estão provocando comportamento agressivo?
8. Seu filho já esteve envolvido com *bullying* cibernético?
9. Há algo que você possa fazer para que seu filho o perdoe? (Seria recomendável seguir os "Diálogos úteis para você e seu filho irado", na página 89, como ponto de partida.)

6

A HABILIDADE "NOTA 10" DO PERDÃO[1]

"Nunca estrague um pedido de perdão com uma justificativa."

BENJAMIN FRANKLIN

O dia tinha sido difícil para Alexa, aluna do 6º ano. Lindsay, sua melhor amiga, que costumava almoçar com ela, escolheu outra mesa na cantina com outras três garotas. No fim do almoço, as garotas dirigiram-se a Alexa e disseram em tom de zombaria: "Que blusa linda!". Lindsay permaneceu calada. Além de sentir-se constrangida, Alexa não entendeu por que Lindsay estava andando com aquelas garotas maldosas.

Entre uma aula e outra, Alexa e Lindsay cruzaram-se no caminho em silêncio. Nada de contato visual. Nenhuma conversa. A situação prosseguiu assim durante alguns dias. Uma semana depois, o celular de Alexa emitiu um sinal. Era uma mensagem de texto de Lindsay: "Dsclp pq agi mal com vc".

Ainda que aliviada ao receber a mensagem, Alexa não entendeu por que Lindsay agira de modo tão estranho. Sentia-se magoada e traída. Mas respondeu dizendo: "OK", embora a situação não estivesse resolvida.

Desculpas *on-line* não bastam

Para o bem da eficiência e da conveniência, e a fim de evitar constrangimentos, podemos usar os aparelhos eletrônicos para pedir perdão. Em questões triviais, o pedido de perdão *on-line* ou a mensagem de texto pode funcionar mais ou menos assim: "Dsclp pq não alimentei o gato. Vc pode fazer isso qdo chegar em casa?". Mas se você ofendeu ou magoou alguém, como no caso de Lindsay com Alexa, não basta enviar uma mensagem virtual.

Precisamos ensinar a nossos filhos como se desculpar no mundo real. Uma das melhores maneiras é mostrar, por meio de exemplos, como se deve pedir perdão. Se o filho ouvir o pai pedir perdão à mãe porque levantou a voz com ela e, em seguida, ouvir a mãe perdoar o marido e eles se abraçarem, será uma lição excelente. Quando a mesma criança começar a discutir em voz alta com o irmão, ela se lembrará do exemplo dos pais. Aprenderá a pedir perdão face a face, primeiro à família e depois às pessoas de fora. É extremamente importante que as crianças aprendam a se desculpar na vida real e em tempo real.

Infelizmente, muitos adolescentes estão comunicando questões pessoais, como pedidos de desculpa, por meio de mensagens virtuais. A criança pode evitar envolver-se em situação difícil e constrangedora com um simples "foi mal" eletrônico. No entanto, essas mensagens truncadas são emocionalmente insuficientes. As crianças crescem sem saber conduzir conversas difíceis com as pessoas de quem realmente gostam. Ao se esquivarem de situações estressantes, sua capacidade de interagir com as pessoas, hoje e no futuro, é impactada negativamente.

Há cinco lições sobre perdão que serão muito úteis na vida de seu filho. Essas lições abrirão portas para amizades melhores e relacionamentos familiares mais íntimos. Explique a seu filho que muitas crianças não têm a oportunidade de aprender essas lições, mas que você gostaria de ensiná-las a ele.

Lição 1: assumir a responsabilidade

Para ensinar seu filho a pedir perdão, ele precisa antes de tudo assumir a responsabilidade pelos erros que cometeu. A tendência natural é culpar os outros ("Foi culpa dele!") ou um objeto ("Caiu sozinho!"). Porém, as crianças podem aprender a assumir a responsabilidade mesmo quando pequenas. Nossa família (de Arlene) possui uma *minivan*, e a tarefa de Lucy é pressionar o botão para fechar a porta lateral porque ela é a última a descer do carro. Um dia, estacionamos perto do supermercado e Lucy, na época com 3 anos, desceu da *van*, deixando a porta escancarada. Antes de eu abrir a boca para avisá-la, ouvi sua voz de criança:

— Ah, desculpe. Me esqueci de fechar a porta.

Não me surpreendi apenas por ela ter se lembrado, mas sobretudo porque ela pediu desculpas. Não culpou um irmão nem se justificou. Assumiu a responsabilidade por seus atos.

— Muito bem, Lucy — eu disse, dando-lhe um forte abraço. — Você assumiu responsabilidade pela porta e por suas ações. Obrigada!

É fundamental ensinar as crianças a assumir a responsabilidade por seus atos e elogiá-las quando fazem isso. Uma criança de 5 anos pega o biscoito, quebra-o e diz:

— O biscoito quebrou.

Não foi o *biscoito* que quebrou; a *criança* quebrou o biscoito. O pai ou a mãe pode usar aquele momento para ensinar este princípio de aceitar a responsabilidade:

— Vamos dizer de forma diferente, querido: "Eu quebrei o biscoito". O biscoito não quebra sozinho, certo? Você o quebrou. Não há nada de errado em quebrar o biscoito. Basta assumir a responsabilidade por seus atos em vez de culpar o biscoito.

Uma forma de ajudar a criança a aprender a assumir responsabilidade por seus atos não tão nobres é ensiná-la a reformular a frase, começando-a com "eu". Em seguida, precisamos mostrar-lhe que seus atos impactam outras pessoas.

Lição 2: seus atos afetam os outros

A Regra de Ouro diz que devemos tratar os outros como gostaríamos de ser tratados. Toda criança necessita aprender essa regra porque é o requisito principal para saber como tratar os outros. Isso também transmite à mente da criança que algumas coisas são boas e outras são más, e ela deve desejar fazer o que é bom.

A criança começa a pensar: "Se eu ajudar a mamãe a arrumar a mesa, ela ficará feliz. Se eu jogar bola dentro de casa e quebrar o abajur, minha mãe ficará triste. Se eu disser a meu pai: 'Amo você', ele se sentirá amado. Se disser a ele: 'Odeio você', ele ficará magoado. Minhas palavras e ações podem ajudar ou magoar as pessoas. Quando ajudo os outros, eu me sinto bem. Quando magoo os outros, eu me sinto mal".

A vida oferece muitas oportunidades para ensinar às crianças que nossas ações afetam os outros. Hillary tem 6 anos e está no 1º ano. O irmão, Daniel, tem 4 e está na pré-escola.

Uma tarde, antes do jantar, eles estavam brincando juntos quando a mãe ouviu Hillary dizer a Daniel:

— Você é um bárbaro. Saia do meu quarto.

Daniel irrompeu em lágrimas e correu para a mãe.

— Hillary me chamou de bárbaro.

A mãe lhe deu um forte abraço e disse:

— Eu sei. Vou conversar com ela. Por que não se senta aqui e lê seu livro enquanto falo com Hillary?

A mãe foi ao quarto de Hillary e disse:

— Querida, onde você ouviu a palavra *bárbaro*?

— Na escola. É uma pessoa que faz maldades, e Daniel fez uma maldade. Ele bagunçou a minha casa de bonecas — disse ela.

— Você tem razão. Daniel precisa pedir desculpas. Mas também não foi nem um pouco legal você ter chamado seu irmão de bárbaro. Ele está magoado porque você o ofendeu, por isso acho que você também precisa pedir desculpas.

A mãe entrou na cozinha e conduziu Daniel pela mão.

— Vocês dois sabem que agiram mal. Daniel, quando Hillary estiver brincando com a casa de bonecas, é errado você entrar e desarrumar tudo. Ela ficou aborrecida porque trabalhou muito para arrumar a casa de bonecas. Hillary, quando você chamou Daniel de bárbaro, ele ficou chateado. Você ouviu que ele chorou muito porque ficou magoado. Quando magoamos alguém, precisamos pedir desculpas.

Hillary fez uma pausa e disse:

— Desculpe por ter chamado você de bárbaro.

— Agora é sua vez, Daniel — a mãe disse.

— Desculpe.

— Desculpe pelo quê? — a mãe insistiu.

— Desculpe por ter bagunçado sua casa de bonecas.

— Ótimo. Agora eu gostaria que vocês se abraçassem — a mãe sugeriu.

Eles se abraçaram, e a mãe disse:

— Perfeito. Agora, Daniel, vá terminar de ler o livro, e Hillary, vá brincar no seu quarto. Chamo os dois quando o jantar estiver pronto.

Essa mãe apaziguou seu lar porque ensinou com clareza aos filhos que nossas ações afetam os outros. E também que, quando erramos, precisamos pedir desculpas.

Lição 3: sempre haverá regras na vida

A terceira lição para ensinar as crianças a pedir perdão é ajudá-las a entender que sempre haverá regras na vida. Falamos sobre a Regra de Ouro, a mais importante, porém há muitas outras criadas para nos ajudar a viver bem. "Não jogar bola dentro de casa" é uma regra que a maioria dos pais estabelece por motivos óbvios. Há outras: não pegar algo que não nos pertence. Não mentir sobre os outros. Não atravessar a rua sem olhar dos dois lados. Agradecer a alguém que nos deu alguma coisa ou nos elogiou.

Quando os pais estabelecem regras, as perguntas dominantes devem ser: "Esta regra é boa para meu filho? Terá efeito positivo na vida dele?". Eis algumas perguntas práticas para fazer quando você estabelecer uma regra específica:

- Essa regra mantém a criança longe de perigo ou destruição?
- Essa regra ensina traços de caráter positivos, como honestidade, esforço no trabalho, bondade, generosidade e outros?

- Essa regra protege a propriedade?
- Essa regra ensina responsabilidade à criança?
- Essa regra ensina boas maneiras?

Uma vez que os pais concordarem com a regra, a família inteira precisará ser informada. Regras não verbalizadas são regras injustas. Não se pode esperar que a criança siga uma regra que ela não conhece. Cabe aos pais a responsabilidade de garantir que os filhos entendam as regras. No entanto, se você perceber que determinada regra está sendo prejudicial em vez de útil, disponha-se a mudá-la.

Há consequências quando uma regra é desobedecida, e elas devem estar intimamente ligadas à regra. Por exemplo, se a criança jogar bola dentro de casa, ficará sem a bola durante dois dias. O ideal é que as consequências por desobedecer às regras familiares sejam determinadas e discutidas com a família na ocasião em que cada regra for criada. Isso dá à criança a vantagem de saber antecipadamente quais serão as consequências, e esse planejamento quase sempre resulta em consequências mais razoáveis.

Os pais são responsáveis por deixar claro que a criança sofrerá as consequências se ofender ou maltratar alguém. Quando são permissivos um dia, ignorando o mau comportamento, e no dia seguinte ralham com a criança pelo mesmo comportamento, os pais estão no caminho certo para criar um filho desobediente e desrespeitoso. A disciplina incoerente é a armadilha mais comum na qual os pais caem na tentativa de criar filhos responsáveis.

Quando o assunto é ensinar a criança a pedir perdão, poucas coisas são mais importantes que estabelecer regras claras e sérias, explicar as consequências caso não sejam cumpridas, e administrar as consequências com justiça e firmeza sempre que necessário. Esse processo cria na criança a mentalidade: "Sou responsável por minhas palavras e ações; se obedecer às regras, receberei os benefícios, mas, se desobedecer, sofrerei as consequências". Isso desenvolve o senso moral. Quando faço o que é certo, há bons resultados. Quando faço o que é errado, há resultados ruins. É esse senso moral que ajuda a criança a entender a necessidade de pedir perdão.

Lição 4: pedidos de perdão restauram amizades

A quarta lição para ensinar as crianças a se desculpar é ajudá-las a entender que os pedidos de perdão são necessários para manter bons relacionamentos. Quando magoo alguém com minhas palavras ou com meu comportamento, eu ergo uma barreira entre mim e a pessoa. Minhas palavras ou ações ofensivas afastam as pessoas de mim, e sem um pedido de desculpa elas continuarão afastadas. A criança, o adolescente ou o adulto que não aprende essa realidade acabará solitário.

Com a ajuda da mãe, Steven está aprendendo esse princípio. Certa tarde, entrou em casa, ligou a televisão e esparramou-se no chão.

— Por que você voltou tão cedo? — perguntou Sharon, a mãe. — Vocês mal começaram a brincar no quintal.

— Eles foram para casa — ele respondeu. — Não quiseram aprender uma brincadeira nova. Estou cansado de brincar sempre da mesma coisa. Disse a eles que se não quisessem aprender a brincadeira nova, poderiam ir embora.

Na tarde seguinte, ao chegar do trabalho, Sharon viu que os garotos da vizinhança não estavam brincando no quintal.

Steven estava mais uma vez esparramado no chão diante da televisão.

— Vocês não vão brincar esta tarde? — ela perguntou.

— Os garotos não apareceram — respondeu Steven. — Acho que eles estão brincando no parque, e eu não quis ir até lá.

No jantar, Sharon perguntou se Steven havia visto um dos garotos na escola.

— Vi Austin no fim do corredor — respondeu —, mas ele não me viu.

— Então nenhum dos garotos conversou com você hoje e nenhum veio brincar esta tarde?

— Nenhum — respondeu ele.

— Steven, você não deve estar nem um pouco satisfeito com isso, pois sei quanto gosta de brincar. Acho bom você gostar de aprender brincadeiras novas, mas o que disse aos garotos foi muito grosseiro.

— Não achei que eles iriam embora — Steven replicou. — Só pensei no que disse depois que eles saíram. Estou com medo de que não voltem nunca mais, e não vou ter ninguém com quem brincar.

Lágrimas começaram a se formar nos olhos de Steven. O coração de Sharon se condoeu.

— Vou lhe dar uma sugestão, e sei que vai ser difícil fazer isso. Acho que você precisa pedir perdão a Austin e aos outros garotos. Diga que sente muito por ter ficado zangado e por tê-los mandado embora, que está se sentindo mal com isso desde aquele dia, e peça a eles que o perdoem.

— Mas, mãe, eles vão achar que eu sou um trouxa — ele disse.

— O que eles acham não é importante. O importante é o que se passa em seu coração, e você sabe que falou aquelas palavras porque estava com raiva. Não sei se eles o perdoarão, mas sei que, se você não se desculpar, eles não vão voltar mesmo. Todos nós ficamos com raiva de vez em quando, e às vezes dizemos coisas das quais nos arrependemos depois. Mas, se nos dispomos a pedir perdão, quase sempre as pessoas nos perdoam.

Depois do jantar, Steven disse:

— Vou até o parque, mãe, para ver se os garotos estão lá.

— Tudo bem. Leve o celular. Ligue para mim, se precisar.

Sharon começou a orar. Sabia que Steven estava prestes a fazer uma das coisas mais difíceis que já havia feito. Mas sabia também que, se ele tivesse coragem para pedir perdão, estaria a caminho de se tornar um homem.

Depois de uma hora, Steven voltou para casa com o corpo quente e transpirando.

— Como foi? — Sharon quis saber.

— Legal. Os garotos foram muito legais. Disseram que todo mundo fica com raiva de vez em quando e que estava tudo bem. Pediram que eu brincasse com eles, e a gente se divertiu bastante. Eu disse a eles que podem vir brincar em nosso quintal amanhã.

— Ótimo — disse a mãe. — Estou muito orgulhosa de você, Steven. Os garotos têm sorte de ter um amigo como você, e eu tenho sorte de ter um filho como você.

Na tarde seguinte, Sharon chegou em casa e encontrou os garotos da vizinhança brincando no quintal. Deu um suspiro de alívio e agradeceu a Deus porque o problema havia sido bem resolvido.

As crianças precisam aprender que, às vezes, as amizades exigem desculpas sinceras. A criança que aprende desde cedo que o pedido de perdão restaura amizades aprende uma das lições mais importantes sobre relacionamentos humanos.

Lição 5: as cinco linguagens do perdão

A última lição para ensinar as crianças a pedir perdão é ajudá-las a falar as cinco linguagens do perdão:

- Manifestação de arrependimento: "Sinto muito".
- Aceitação da responsabilidade: "Eu errei".
- Compensação do prejuízo: "Como posso corrigir isso?".
- Arrependimento genuíno: "Vou tentar não fazer de novo".
- Pedido de perdão: "Você me perdoa?".

O nível de proficiência aumenta com a idade — da mesma forma que, à medida que crescem, as crianças aprendem a falar uma língua. Elas começam com palavras que associam a determinados objetos: *livro*, *sapato*, *pé*. Depois, aprendem palavras associadas a ideias: *sim*, *não*. Mais tarde, aprendem a entender frases: *Vamos sair. Vamos vestir a roupa.* Então, aprendem a formular frases: *Não gosto de feijão. Quero brincar.* Bem mais tarde, aprendem regras gramaticais e estruturas de frases complexas. O vocabulário e o nível de compreensão da criança aumentam ano após ano. O mesmo se aplica com o ensino das linguagens do perdão.

A criança de 2 anos pode aprender a dizer: "Me perdoe", quando puxa o cabelo da irmã mais velha. Ou pode dizer: "Eu errei. Fui desobediente", quando derruba de propósito a xícara no chão. Com isso, elas vão aprendendo, de modo muito simples, a pedir perdão e a assumir a responsabilidade.

Quando uma criança de 3 anos empurra o irmão e mente em meio às lagrimas, o pai pode consolar o filho que caiu e ensinar a criança de 3 anos a dizer "Eu errei. Me desculpe".

E pode até encorajar a criança a "buscar um curativo para o irmão". Enquanto corre para pegar o curativo, a criança está aprendendo a compensar o prejuízo. As crianças também podem aprender a dizer desde muito cedo: "Vou tentar não fazer de novo. Você me perdoa?". Ao fazer isso, estão aprendendo a linguagem do arrependimento genuíno e do pedido de perdão.

Entre as idades de 2 e 6 anos, as crianças podem aprender a verbalizar todas as cinco linguagens do perdão. Durante esse período, a motivação para pedir perdão é primeiramente externa — isto é, os pais insistem para que a criança diga "Me perdoe" ou "Eu errei" ou "Fui desobediente". Isso é feito quase da mesma forma que ensinamos as crianças a dizer "Obrigado" e "Por favor". O método consiste em repetição, expectativa e, por vezes, privação de privilégios, se a palavra não for proferida corretamente. Em suma, a criança aprende por estímulo externo.

Ao longo do ensino fundamental, a criança aprende a internalizar esses conceitos e a expressar essas palavras por iniciativa própria. Ela pode escrever uma mensagem de texto para os pais ou para um amigo: "Eu estava errado. Por favor, me desculpe". É um bom começo, mas, para que haja uma experiência plena desse pedido de desculpas, é melhor expressá-lo pessoalmente. Que pai ou mãe não ficaria orgulhoso de ouvir o filho dizer, sem o estímulo de ninguém, "Obrigado", "Por favor" e "De nada"? De igual modo, o pai ou a mãe sabe que ensinou o filho corretamente quando ouve a criança usar uma ou mais linguagens do perdão por iniciativa própria.

Eu (Gary) sempre me lembrarei da noite em que meu filho adolescente me disse: "Desculpe, pai. Eu errei. Não devia ter gritado com você. Espero que me perdoe". Claro que o perdoei e contei à minha esposa a boa notícia de que, aparentemente, nossos esforços em ensiná-lo a pedir perdão estavam dando bons resultados. Se ele pôde dizer essas palavras ao pai, certamente poderia dizê-las um dia à esposa e talvez aos filhos.

Isso me leva a observar que o método mais eficiente de ensinar os filhos mais velhos a falar as linguagens do perdão é por meio do exemplo dos pais. Quando pedem perdão aos filhos por terem dito palavras grosseiras ou sido injustos, os pais estão usando o método de ensino mais eficaz de todos. As crianças pequenas fazem o que os pais dizem; as mais velhas fazem o que os pais fazem.

O pai ou a mãe que pensa: "Não quero pedir perdão a meus filhos porque assim eles deixarão de me respeitar" está redondamente enganado. A verdade é que o pai ou mãe que se desculpa com sinceridade aumenta o respeito do filho por ele. A criança sabe o que o pai ou a mãe fez de errado, de modo que o erro cria uma barreira entre eles. Quando ouve um pedido de perdão, a criança normalmente se dispõe a perdoar e a barreira é derrubada. Alguns dos momentos mais marcantes de nossa vida ocorrem quando pedimos perdão a nossos filhos.

Outro método muito eficiente de ensinar os filhos a falar as linguagens do perdão é quando você conversa com eles mencionando exemplos de quando pediu ou recebeu perdão. Eu (Arlene) tive essa oportunidade recentemente, quando uma amiga me pediu um favor. Eu havia encontrado um novo cabeleireiro, sem saber que minha amiga frequentava o mesmo salão.

— Você não se importaria de dizer ao cabeleireiro que recomendei que você fosse lá? Se fizer isso, terei direito a um corte de cabelo grátis.

— Eu adoraria fazer isso — respondi —, só que você não recomendou que eu fosse lá. Não me sinto à vontade para dizer isso.

— Tudo bem — ela disse.

Naquele momento, perdi o respeito por minha amiga por ela ter me pedido para fazer algo desonesto. Na manhã seguinte ela ligou.

— Sinto muito pelo que aconteceu ontem — ela disse. — Eu não recomendei aquele cabeleireiro a você e estava errada quando pedi que mentisse a esse respeito. Só queria um corte de cabelo grátis. Desculpe. Por favor, me perdoe.

Eu perdoei minha amiga, e sabe o que ela fez? Ela me enviou um enorme buquê de rosas, e meu respeito por ela foi restaurado. Contei a história à minha família durante o jantar. Conversamos sobre como muitas pessoas não são humildes a ponto de pedir perdão e assumir um erro. Elogiamos aquela amiga por sua capacidade de se desculpar. Aquilo aproximou nossa amizade e foi um exemplo vivo de como um pedido de perdão pode restaurar a confiança num relacionamento.

O que não dizer ao pedir perdão a seus filhos

Quer usar os melhores e mais eficientes métodos para se desculpar? Em caso afirmativo, não use as seguintes frases quando estiver pedindo perdão e ensine seus filhos a fazer o mesmo.

- Você ainda não esqueceu este assunto?
- Eu é que deveria ser perdoado porque...
- Por que você sempre...?
- Se você não tivesse...
- Que bobagem.
- A vida é assim mesmo.
- Qual é o problema?
- Você está agindo como uma criança.
- Deixe isso pra lá.
- Por que você não esquece esse assunto?
- Você é muito sensível. Eu só estava brincando.
- Sua irmã (ou irmão) não teria ficado aborrecida com o que fiz.
- Por que não deixamos esse assunto para trás?
- Você precisa ser mais forte.

O que dizer ao pedir perdão a seus filhos

A linguagem corporal pode ajudar ou piorar a sinceridade do pedido de perdão. Não se esqueça de manter contato visual, não cruze os braços defensivamente, ouça com atenção e fale num tom de voz agradável. Depois, escolha palavras que não joguem a culpa nos outros, não se justifique nem negue a responsabilidade.

- Confesso que fiz aquilo, e não tenho justificativa.
- Sou responsável pelo erro.
- Fui descuidado.
- Fui insensível.
- Fui grosseiro.
- Minhas atitudes foram inaceitáveis.
- Farei o possível para reparar meu erro.
- Meu coração dói pelo que fiz.
- Você não merecia ser tratado daquele jeito.
- Você tem todo o direito de estar irritado.
- Eu sei que errei.
- Meu erro faz parte de um comportamento que preciso mudar.
- Vou readquirir sua confiança fazendo...
- Vou tentar reparar meu erro fazendo...
- Coloquei você numa situação difícil.
- Espero não ter demorado muito para pedir perdão.
- Você pode me perdoar?

Quando crianças veem adultos se desculpando um com o outro e com os filhos, elas têm mais facilidade de aprender as linguagens do perdão — a *expressar* o pedido de perdão —, e não por mensagem de texto ou postagem nas redes sociais. Se a criança conseguir dizer "Me perdoe" pessoalmente, essas palavras farão toda a diferença para formar relacionamentos saudáveis no futuro.

Para refletir

1. Você já deu a seu filho um exemplo de como se desculpar (seja pedindo perdão a ele, seja pedindo perdão a outra pessoa na presença dele)? O que aconteceu?
2. Seu filho aceita prontamente a responsabilidade por ter cometido um erro ou tende a culpar outras pessoas ou coisas?
3. Cite um exemplo de uma regra clara e a consequência se ela não for cumprida em sua casa.
4. Você já viu um dos amigos de seu filho ficar magoado ou ofendido porque alguém não se desculpou com ele? Já passou por algo semelhante?
5. Ao preparar-se para ensinar as cinco linguagens do perdão a seu filho, faça uma encenação um com o outro. Diga:

    - "Sinto muito".
    - "Eu errei".
    - "Como posso corrigir isso?".
    - "Vou tentar não fazer de novo".
    - "Você me perdoa?".

6. "Não quero pedir perdão a meus filhos porque eles perderão o respeito por mim." Você concorda com essa frase ou discorda dela? Explique sua opinião.
7. Analise a seção "O que não dizer ao pedir perdão a seus filhos", na página 105. Quais dessas frases você tem usado com seu filho?

7

A HABILIDADE "NOTA 10" DA ATENÇÃO

> "Concentre todos os seus pensamentos no trabalho que está realizando. Os raios do sol só queimam depois que estabelecem um foco."
>
> Alexander Graham Bell

Eu (Arlene) tenho uma confissão a fazer. Caro leitor, enquanto estou digitando em meu computador, minha mente às vezes vagueia: "Hmm, será que alguém curtiu minha foto na rede social?", "Vou dar uma checada rápida nos *e-mails*", "Que notificação foi essa no meu celular?". Quando não consigo mais controlar a distração, abandono as páginas deste manuscrito para correr atrás de outras coisas intermináveis para clicar. Você já fez o mesmo? Manter o foco numa tarefa na era digital é difícil para os adultos de hoje — e é difícil também para as crianças. As crianças em fase de crescimento precisam de calma e tranquilidade para desenvolver os músculos da atenção, do foco e da reflexão. No entanto, o mundo da tela não promove nada disso.

Você deve conhecer a expressão *excesso de informação*. Imagine a mente de seu filho como uma xícara. Quando ele passa tempo demasiado diante das telas, é o mesmo que ligar uma mangueira d'água em cima de uma xícara. A mente da criança não consegue reter e processar a correnteza de estímulos e dados. Para lidar com todas as informações, ela adquire o hábito de mudar de uma coisa para outra. A tendência a distrair-se passa a ser um estilo de vida.

Um calouro de faculdade me enviou um *e-mail* explicando sua luta para vencer o vício na internet, que vinha desde o ensino fundamental: "Não consigo me focar em nada na faculdade nem no trabalho. Minha mente quer que eu fique o tempo todo *on-line*, plugado em jogos, notícias e redes sociais. Parece que não consigo me concentrar em mais nada".

Ligando e desligando

— Carissa, está na hora do dever de casa — diz a mãe pela segunda vez.

Nesse meio-tempo, Carissa, 8 anos, está jogando seu *video game* favorito no celular da mãe.

— Alô, planeta Terra chamando Carissa. Está me ouvindo? — a mãe pergunta, rindo.

— Só vou terminar esta parte para chegar à próxima fase — diz a filha, sem levantar a cabeça.

Quinze minutos depois, a mãe de Carissa lhe arranca o celular das mãos. Carissa senta-se para fazer o dever de casa. Olha para a tarefa e começa a ler. Brinca com seus lápis na xícara e arruma-os no lugar.

— Mãe, estou com sede. Posso tomar água? — pergunta.

Depois de voltar da cozinha com o copo, ela vê o gato lá fora. Ele parece estar com fome.

— Mãe, vou dar comida ao Romeo.

Ela enche de comida a tigela de Romeo e volta à cadeira e à leitura. O telefone toca.

— Deixa tocar — a mãe grita da cozinha.

Carissa, porém, levanta-se rapidamente para atender o telefone. É uma ligação de *telemarketing*.

— Não, obrigada — ela diz e desliga.

O pai de Carissa entra na sala.

— Está na hora do jantar — diz.

A mãe de Carissa pergunta:

— Terminou a leitura?

— Não — Carissa resmunga. — Me distraí um pouco.

Carissa não tem nenhum problema em ficar sentada quando está jogando no celular, mas não consegue permanecer sentada por muito tempo sem aquele aparelho para lhe prender a atenção. Você já se espantou ao ver que seu filho consegue ficar horas diante da tela, como que hipnotizado, mas, quando chega a hora do dever de casa ou de outra tarefa semelhante, ele não consegue se concentrar por mais que alguns minutos? A presença cada vez maior das telas, e principalmente da internet, na vida cotidiana mudou nosso modo de prestar atenção. A internet exige nossa atenção e interação mais que a televisão, o rádio ou os jornais. Somos impelidos a ver *e-mails*, digitar e enviar mensagens, clicar em *links* que nos sugerem um número sem fim de novas páginas para acessar. É interativo e desgastante.

O ruído constante da internet, dos aplicativos e dos *video games* constitui uma barreira enorme para o pensamento criativo e para o desenvolvimento da reflexão nas crianças. O tempo constante diante das telas prenderá a atenção de seu filho, mas será que o ajudará a prestar atenção nas áreas mais importantes da vida? Os aparelhos eletrônicos podem condicionar seu filho a criar três expectativas que nem sempre acontecem na vida real: que o mundo diante dele será interessante, instantâneo e imediatamente recompensador.

O tempo diante das telas é interessante. Não há monotonia no mundo virtual porque seu filho sempre pode migrar de um *site* sem atrativos para outro mais interessante. Os menus oferecem inúmeras escolhas. Tudo gira em torno do que agrada às crianças. Até o modo como elas ouvem música atende a seus interesses. Elas não têm apenas um CD das músicas preferidas; têm uma lista interminável de tudo o que querem ouvir. Se não gostam de uma música, basta passar para a próxima. Quando podemos criar um mundo virtual com base em nossas preferências, temos pouco desejo de, no mundo real, prestar atenção a qualquer coisa entediante, irrelevante ou desagradável.

O tempo diante das telas é instantâneo. Se você quiser saber "Quem foi Abraham Lincoln?", não precisa abrir uma enciclopédia nem perguntar a um professor. Basta fazer uma busca no computador ou no celular para obter a resposta na mesma hora. A facilidade de obter informações é muito útil, mas pode ser também uma maldição. As crianças aprendem que as respostas aparecem de modo fácil e instantâneo nas telas. Caso exija esforço obter uma informação, muitas crianças que vivem diante das telas desistem. Estão acostumadas à gratificação instantânea, e infelizmente essa expectativa respinga em outras áreas da vida, onde as coisas não surgem de imediato.

O tempo diante das telas é imediatamente recompensador. Quando clicamos na tela, recebemos resposta imediata: o personagem do jogo se movimenta, um ícone é liberado ou uma página revela uma novidade. A criança é constantemente recompensada por seu envolvimento. As que jogam *video games* aprendem rapidamente que, se continuarem a apertar os botões, passarão para o nível seguinte. Os programadores entendem que as crianças jogarão e passarão tempo diante das telas se continuarem a receber recompensas.

A instrução na escola nem sempre é interessante, instantaneamente gratificante ou recompensadora, por isso as crianças acostumadas às telas entram na sala de aula em desvantagem. Não estão dispostas a correr o risco de errar ou de enfrentar o tédio. Haley, aluna do 7º ano, não sabia o que fazer na aula de educação artística. Ela deveria cortar o material, usando um molde. Pediu à professora:

— A senhora poderia cortar para mim?

— Há alguma coisa errada com sua mão? — a professora perguntou.

— Não — Haley respondeu. — É que acho que não sei fazer isso.

Apesar de ser muito eficiente no manuseio de seu *tablet*, Haley não estava acostumada a usar tesoura. Não sabia ao certo se conseguiria cortar de acordo com o molde, e não queria correr o risco de cometer um erro. Então, desistiu antes mesmo de tentar. Na tela, se cometemos um erro, basta começar de novo sem nenhuma consequência. É só apertar a tecla "voltar", abrir outra tela ou reiniciar. No mundo real, porém, se cortarmos o material de modo errado, não é possível consertar o erro.

Quando a criança acostumada às telas enfrenta uma tarefa desconhecida, quase sempre se desinteressa e para de prestar atenção. Desliga-se mentalmente quando ouve algo que não a interessa. No mundo virtual, as crianças são treinadas todos os dias a conseguir o que querem, quando querem e como querem. Isso prende rapidamente a atenção delas, mas não é nada parecido com o mundo real para o qual as estamos preparando.

Elogio à leitura

Muitos pais e professores lamentam a falta de atenção cada vez maior da geração seguinte. Por que o tempo médio de atenção das pessoas caiu 40% desde 2000?[1] Parte da resposta encontra-se nos aparelhos eletrônicos que oferecemos a nossos filhos para facilitar a vida deles e mantê-los atualizados. Pense, porém, nesta advertência: quanto mais você permite que seu filho use celulares, *tablets* e outros aparelhos, mais contribui para reduzir o tempo de atenção dele. O estímulo digital constante cria problemas de atenção nas crianças que têm dificuldade de autocontrole e de fazer boas escolhas. Como tudo muda a cada três minutos no mundo digital, a criança não recebe o preparo necessário para concentrar-se e prestar atenção na escola. Se o professor não apresentar um atrativo especial, as crianças plugadas tendem a distrair-se.

Para ter uma ideia do rumo que as crianças estão tomando na era digital, reflita sobre a seguinte estatística relacionada a adultos jovens na faixa entre 25 a 34 anos. Em 2008, eles liam material impresso durante 49 minutos por semana, 29% a menos que em 2004.[2] Se os adultos jovens de hoje leem menos de cinquenta minutos por semana, qual será a estatística daqui a vinte anos? A criança acostumada às telas não dedica atenção para ler livros, porém as pesquisas mostram repetidas vezes que o acesso aos livros e o tempo de leitura são um sinal que aponta para o sucesso escolar.[3]

De acordo com o Pew Research Center, oito entre dez pais dizem que os livros impressos são muito importantes para seus filhos.[4] A leitura é uma experiência fundamental e multissensorial para toda criança. A criança toca a página enquanto a mente processa o que está lendo. Às vezes ela precisa esforçar-se para manter o foco nas palavras escritas. Durante o tempo de leitura, as coisas não mudam a cada cinco segundos. A criança acompanha o curso da história e coordena os pensamentos. Enquanto lê, aprende a concentrar-se num tópico e absorve profundamente o conteúdo. A leitura de textos impressos é importante para fortalecer os músculos da atenção.

Em seu livro *A geração superficial: O que a internet está fazendo com os nossos cérebros*, Nicholas Carr escreve:

> Quando estamos *on-line*, entramos num ambiente que promove leitura descuidada, pensamento apressado e distraído e aprendizado superficial. É possível pensar profundamente quando navegamos na internet, da mesma que é possível pensar superficialmente quando lemos um livro, mas esse não é o tipo de raciocínio que a tecnologia encoraja e recompensa.[5]

A leitura *on-line* é apimentada com *hyperlinks* que distraem e títulos atraentes que competem para roubar nossa atenção. Em contraponto a isso, o livro oferece apenas um lugar para concentração e, portanto, é de grande valor para o desenvolvimento da criança. Ler um livro é uma atividade tranquila e relaxante. Quando a criança larga o livro, está serena. Veja a diferença de quando a criança larga o *tablet* ou o celular. Em geral, fica propensa a discutir ("Por que não posso jogar mais?"), mal-humorada e irritada.

Como pai ou mãe, você pode orientar o progresso da leitura de seu filho. Para muitas crianças, ler não é algo natural. Precisa ser uma atividade programada diariamente até tornar-se um hábito. Considere esta comparação de três alunos com hábitos de leitura diferentes.[6]

O aluno A	O aluno B	O aluno C
Lê 20 minutos por dia	Lê 5 minutos por dia	Lê 1 minuto por dia
Lê 3.600 minutos por ano letivo	Lê 900 minutos por ano letivo	Lê 180 minutos por ano letivo
Lê 1,8 milhão de palavras por ano	Lê 282 mil palavras por ano	Lê 8 mil palavras por ano
Figura entre os 10% mais bem classificados em avaliações de aprendizagem	Figura entre os 50% mais bem classificados em avaliações de aprendizagem	Figura entre o 10% com pior classificação em avaliações de aprendizagem

Se começar a ler vinte minutos por noite no jardim de infância, no fim do 6º ano o aluno A terá lido o equivalente a sessenta dias escolares, o aluno B terá lido doze dias escolares e o aluno C terá lido 3,6 dias escolares.

Que aluno você gostaria que seu filho fosse? Ler não apenas traz vantagens acadêmicas, como também prepara seu filho para períodos mais prolongados de atenção, dando-lhe maior capacidade de concentração.

Cinco sugestões para ajudar seu filho a se apaixonar pela leitura

Leia em voz alta para seu filho. Se ele for pequeno, coloque-o no colo e leia para ele todos os dias. Além de ensinar a linguagem e aumentar o vínculo entre pai e filho, você criará uma lembrança feliz que o atrairá aos livros no futuro. Se ele for mais velho, sente-o a seu lado e leia um livro que a família toda aprecie.

Visite a biblioteca com frequência. Quase tudo na vida custa dinheiro, mas as visitas às bibliotecas continuam gratuitas. Aproveite os recursos da biblioteca de sua cidade. Procure autores favoritos no catálogo e reserve esses livros, caso não estejam disponíveis no momento. Com isso, seu filho aguardará com expectativa a próxima visita à biblioteca. E não se esqueça de escolher um livro para você também.

Tempo de leitura x tempo diante das telas. Ao tornar a leitura um pré-requisito para o tempo diante das telas, alguns pais têm conseguido envolver os filhos no mundo dos livros. Se seu filho ler durante trinta minutos, poderá ficar trinta minutos diante das telas.

Procure livros que interessem seu filho. Do que seu filho mais gosta — histórias sobre pôneis ou biografias de jogadores de futebol? Procure livros que ele queira ler até o fim. Peça sugestões a amigos que têm filhos da mesma idade ou mais velhos que o seu. Não desista até encontrar um livro que agrade a seu filho.

Deixe que eles vejam você lendo. Quando seus filhos o virem acomodado no sofá com um bom livro, eles vão querer fazer o mesmo. Converse com eles sobre o que está lendo e mostre-lhes, por meio do seu exemplo, que os livros são úteis e cativantes.

Tempo diante das telas e problemas de atenção

Keith, 7 anos, voltava da escola quase todos os dias com um bilhete de advertência. A mãe já havia oferecido inúmeras recompensas e praticamente implorado a Keith que ouvisse a professora com atenção e seguisse suas instruções. Mas, em vez de trazer para casa elogios da professora, Keith parecia destinado a ser uma daquelas crianças famosas por mau comportamento. Na escola, sempre falava fora de hora, não terminava a lição e nunca levantava a mão para responder às perguntas. A vida em casa não era muito melhor. Ele era irrequieto durante as refeições e agressivo com a irmã mais velha.

A mãe de Keith imaginou que ele sofresse de TDAH (Transtorno do déficit de atenção com hiperatividade), mas notou que ele podia passar horas jogando *video games*. Parecia não haver nada de anormal no nível de atenção de Keith no mundo digital. No entanto, sua capacidade de permanecer concentrado somente diante da tela era, de fato, uma característica de TDAH. Muitos especialistas acreditam que a criança com esse transtorno passa mais horas jogando e vendo televisão que as demais.

A pergunta é: a criança concentra-se mais nas telas porque sofre de TDAH ou a concentração exagerada nas telas a leva a sofrer de TDAH? Trata-se de um assunto importante, porém alguns estudos, como o de 2010 realizado pelo periódico *Pediatrics*, descobriram que o tempo excessivo diante da televisão e dos *video games* está ligado ao problema de atenção nas crianças em idade escolar e nos universitários. Os pesquisadores descobriram que as crianças que passam mais de duas horas por dia diante das telas eram 1,5 a 2 vezes mais propensas que a média a desenvolver problemas de atenção. Os universitários demonstraram uma associação semelhante, sugerindo que a exposição às telas tem consequências duradouras na vida adulta.[7]

A atenção da criança diante de um jogo virtual é diferente da concentração de que ela necessita para ter sucesso na vida cotidiana. Uma criança como Keith presta atenção a um jogo alimentado por mudanças frequentes, recompensas constantes, novos níveis, pontos para acumular e doses de dopamina no cérebro. Quando o cérebro se acostuma a esse ritmo acelerado, não é de admirar que o mundo real seja desanimador e entediante.

As crianças que se esforçam na escola querem encontrar um lugar onde sejam bem-sucedidas. Em geral, encontram esse lugar de sucesso nos *video games* e no mundo virtual. Crianças com transtorno de atenção refugiam-se nas telas em busca de companhia com mais frequência que as outras. Se seu filho foi diagnosticado com TDAH, eis algumas formas de ajudá-lo a navegar diante das telas:

- Estabeleça limites para o tempo diante da tela (tente duas horas ou menos).
- Não permita aparelhos eletrônicos no quarto.
- Evite *games* violentos.
- Desligue a televisão, o rádio e os jogos de computador na hora do dever de casa.

Os *video games* podem ser úteis como recompensa ou como ferramenta educativa. Porém, quando as crianças passam mais de duas horas por dia jogando com os olhos fixos na tela, a capacidade de prestar atenção em outras coisas na vida é impactada negativamente.

O erro da multitarefa

Suzy, 11 anos, joga a mochila na mesa. Liga a televisão em seu programa favorito. Pega o caderno e prepara-se para fazer o dever de casa. Liga o *tablet* dos pais para procurar a definição de uma palavra. Olha de relance para a televisão e ri. Continua a olhar para a televisão durante sua busca *on-line*. Enquanto está na página de dicionários, Suzy vê o anúncio da estreia de um filme. Clica para encontrar mais informações enquanto rabisca a definição da palavra no caderno.

Do outro lado do corredor, em outro quarto, o pai de Suzy, que trabalha em casa, tem múltiplas páginas abertas em seu computador. Enquanto rascunha um documento, ele verifica os *e-mails* e responde às solicitações urgentes. O telefone toca e, enquanto ouve a chamada, procura as notícias mais recentes. A ligação termina, mas, antes de voltar ao documento, o pai de Suzy clica nos vídeos de notícias para saber que legislação o Senado aprovará hoje.

Bem-vindo ao mundo da multitarefa. A multitarefa é tida como símbolo de sucesso, uma palavra brilhante para acrescentar ao currículo a fim de mostrar sua capacidade de administrar várias tarefas ao mesmo tempo. Recentemente, porém, vem aumentando o número de advertências sobre os perigos da multitarefa.

A multitarefa reduz a qualidade do trabalho. Numa experiência, alunos foram solicitados a sentar-se num laboratório e completar um teste padrão de habilidade cognitiva. Um grupo de alunos não seria interrompido durante o teste, enquanto o outro grupo foi avisado de que receberia mais instruções a qualquer momento via mensagem de texto. Este segundo grupo foi interrompido duas vezes durante o teste e recebeu uma pontuação 20% menor que o grupo que não sofreu interrupções.[8] Essa diferença é suficiente para fazer um aluno que recebe notas medianas cair na categoria de aluno fracassado. Em outro estudo, pesquisadores constataram que o QI dos funcionários que se distraem com *e-mails* e telefonemas sofre uma queda duas vezes maior que a queda encontrada em usuários de maconha.[9]

Se seu filho se distrai enquanto faz o dever de casa ou outras atividades que exigem concentração, a qualidade do trabalho dele ficará comprometida. Quando Suzy faz o dever de casa e vê televisão ao mesmo tempo, ela fica propensa a cometer erros que não cometeria se não estivesse distraída.

A multitarefa muda o modo de aprender. Uma pesquisa mostra que as pessoas usam áreas diferentes do cérebro para aprender e armazenar novas informações quando estão fazendo várias coisas ao mesmo tempo. A tomografia do cérebro de pessoas que se distraem mostra atividade no corpo estriado, uma parte do cérebro usada para aprender novas habilidades. A tomografia do cérebro de pessoas que não se distraem mostra atividade no hipocampo, uma região usada para armazenar informações e lembrar-se delas.[10]

Se você quer que seu filho seja capaz de pensar profundamente, retire as distrações, como fones de ouvido, televisão ou computadores enquanto ele se concentra numa tarefa. O índice da multitarefa no mundo digital — usar vários aparelhos diferentes de mídia ao mesmo tempo — aumentou de 16% entre os usuários em 1999 para 26% em 2005.[11] Estamos ficando cada vez mais acostumados a usar todos os aparelhos eletrônicos ao mesmo tempo — televisão, mensagem de texto, computador, *games* e *e-mails*. Essa imersão digital está mudando o modo de aprender de seu filho.

A multitarefa cria pessoas superficiais. A multitarefa treina as crianças a prestar atenção em todas as informações que recebem, o que as tornam adeptas da leitura superficial. Do contrário, ficariam sobrecarregadas. Pense no cérebro de seu filho como uma torre de controle. Bombardeado por estímulos digitais, notícias, *e-mails* e textos, o cérebro dele continua a dirigir aquele tráfego de informações: "Próximo, próximo, próximo". Quem realiza tarefas múltiplas ao mesmo tempo tende a buscar novas informações em vez de pôr em prática as mais antigas e valiosas que já possui. Com isso, a criança tem um entendimento superficial de muitas coisas em vez de um entendimento profundo dos conceitos principais. As crianças que se dedicam à multitarefa constantemente têm dificuldade de separar o relevante do irrelevante. Embora o dever de casa de hoje possa ser uma tarefa ao alcance da mão, as outras coisas parecem igualmente ou mais atraentes, em especial para a criança plugada: "Veja aquele jogo novo", "Qual é o brinquedo que está sendo anunciado?", "Está chegando a hora do meu programa favorito?". Há pouco espaço para profundidade quando existem tantas opções a escolher. Os que se dedicam a muitas tarefas ao mesmo tempo têm mais dificuldade de concentrar-se e de ignorar informações irrelevantes.

A multitarefa é perda de tempo. Você é capaz de adivinhar o número de vezes por hora que um funcionário de escritório checa seus *e-mails* na caixa de entrada? A resposta é trinta vezes.[12] Os adultos mudam constantemente de uma tarefa para outra, o que normalmente os faz perder tempo em vez de ganhar tempo. Os pesquisadores descobriram que é necessária uma média de 25 minutos para voltar à tarefa original depois da interrupção.[13]

Justin, 11 anos, estava sentado à mesa da cozinha com o dever de casa aberto havia mais de uma hora. Tinha lido o mesmo problema de matemática repetidas vezes. Primeiro, não conseguiu entender o problema, então pegou seu *video game* e jogou por alguns minutos para relaxar. Leu o problema de novo e decidiu enviar uma mensagem de texto a um amigo sobre a tarefa. O amigo também não entendeu o problema; ambos começaram a enviar mensagens de texto sobre outros assuntos. Justin decidiu procurar a solução do problema num *site* de busca, mas antes checou sua rede social favorita. De repente, já era hora do jantar. O dever de casa ficou incompleto, e ele perdeu tempo demais com distrações.

Oito maneiras de ajudar seu filho a terminar o dever de casa

1. Use jogos ou sistema de pontuação como recompensas. Coloque na parede um cartaz no qual seu filho possa colocar um adesivo cada dia que ele terminar o dever de casa. Ofereça recompensas depois que ele completar o dever de casa durante uma semana ou um mês. Crie jogos para recompensar deveres de casa terminados. Por exemplo, se seu filho terminar o dever de casa durante toda a semana, ele ganhará pontos. Acima de cinquenta pontos, poderá escolher um prêmio de valor pequeno.

2. Coloque os objetos para o dever de casa numa caixa. Do que seu filho necessita para terminar o dever de casa — lápis, borracha, caneta, régua, grampeador, cola, fita adesiva e tesoura? Guarde tudo num só lugar, para que seja encontrado com facilidade. Se algum objeto for retirado da caixa, lembre-se de substituí-lo.

3. Saiba qual é a melhor hora para o dever de casa. Algumas crianças gostam de começar o dever de casa logo depois de voltar da escola, a fim de poderem brincar em seguida. Outras precisam passear por uma hora depois de permanecerem sentadas durante a maior parte do dia. Escolha a rotina do dever de casa que melhor se adapte a seu filho.

4. Esquematize projetos maiores. Quando seu filho chegar da escola com um trabalho de longo prazo, crie um calendário para ajudar a dividir o projeto em várias partes. Para ilustrar o valor de trabalhar um pouco por vez, conte a ele sobre as consequências de procrastinar por períodos prolongados.

5. Trabalhe com um cronômetro. Se seu filho conseguir terminar o dever de casa em meia hora, ajuste um cronômetro para trinta minutos e encoraje-o a terminar antes que o marcador emita o sinal. Se seu filho necessitar de mais tempo para o dever de casa, continue a ajustar o marcador para trinta minutos. Quando o sinal for emitido, faça um intervalo de cinco minutos e retome o dever de casa.

6. Ofereça lanches saudáveis. Em geral, as crianças sentem fome depois das aulas. Em lugar de salgadinhos e similares, ofereça lanches saudáveis como frutas ou lanches naturais acompanhados de um copo d'água.

7. Crie um ambiente que estimule a concentração. Há iluminação suficiente? A área de trabalho está livre e desimpedida? A televisão e outros aparelhos eletrônicos estão desligados? Se seu filho precisar usar o computador para o dever de casa, acompanhe-o para que ele não desvie a atenção.

8. Mantenha a programação semanal. As crianças se dão bem quando há uma agenda previsível. Talvez você precise adaptar suas horas de trabalho em casa em dias diferentes porque pratica esporte nas terças e quintas-feiras. Assim que houver uma rotina coerente a ser seguida e seu filho a entender, ele será capaz de adaptar-se a ela.

Desenvolvendo a atenção

Você quer que seu filho preste mais atenção na escola? A solução não está num *software* educativo, nem em passar mais tempo afundado nos livros, nem em contratar um professor particular. De acordo com a Academia Americana de Pediatria, o elemento essencial para o desenvolvimento cognitivo de seu filho é *brincar*.[14] Brincar não é passar tempo jogando *on-line*; é passar tempo jogando futebol, basquete ou amarelinha.

As atividades ao ar livre são especialmente rejuvenescedoras para a mente de crianças e adultos. Uma série de estudos de psicologia revelou que, depois de passar um tempo junto à natureza num ambiente rural, as pessoas melhoram a atenção, a memorização e, em muitos casos, a cognição. O cérebro torna-se mais calmo e aguçado.

Os pesquisados receberam uma série de testes mentalmente cansativos, elaborados para medir a memória no trabalho e a capacidade de controlar a atenção. Depois do teste, metade do grupo passou uma hora passeando num parque arborizado longe da cidade. A outra metade passou uma hora andando em ruas movimentadas no centro. Todos voltaram para refazer o teste. O grupo que passou o tempo no parque melhorou significativamente seu desempenho.[15]

A internet não é capaz de proporcionar a calma que a natureza proporciona. Não há nuvens fofas para as crianças observarem, nem riachos tranquilos com pedras para elas pularem. Uma visita ao parque de sua cidade ou um passeio a um lugar idílico ajudará a acalmar a mente de seu filho, preparando-o para prestar a atenção necessária na escola e na vida.

Além da natureza, você pode incentivar seu filho a prestar atenção por meio do contato visual. O contato visual é essencial para fortalecer o músculo da atenção. Quando você conversa com alguém, há uma troca de olhares, e isso demonstra que um está prestando atenção no outro. Todo pai ou mãe já disse uma ou mais vezes com frustração: "Olhe para mim quando eu estiver falando com você!".

Muitas crianças são famosas por fixar os olhos nos aparelhos eletrônicos e em nada mais. Ajude seu filho a concentrar a atenção na pessoa com quem dialoga, ensinando-o a manter contato visual com ela. Quando você insiste no contato visual e faz isso com frequência, está ajudando seu filho a prestar atenção ao relacionar-se com outras pessoas e a aumentar o nível de empatia.

Na sociedade e em casa, as crianças veem exemplos de relacionamentos com os aparelhos eletrônicos e a falta de contato visual entre as pessoas. No casamento, a queixa mais comum é: "Ele diz que está ouvindo, mas está sempre olhando para a televisão ou para a tela do computador". Pode ser também o caso do marido que busca contato visual com a esposa, cuja atenção está voltada para as redes sociais. Tecnicamente, ela até pode estar ouvindo, mas, se não mantiver contato visual, não demonstrará estar prestando atenção.

Nesta era digital, há muitas coisas competindo pela sua atenção e a de seu filho. A notificação de uma nova mensagem de texto. Transmissões ao vivo. A próxima fase de um *video game*. Dezenas de novos *e-mails*. Tanto adultos como crianças precisam aprender a prestar atenção nas coisas importantes da vida, mesmo na ausência de estímulos, recompensas ou entretenimento.

As palavras que William James escreveu no século 19 são relevantes ainda hoje: "A faculdade de retomar voluntariamente a atenção depois de repetidas divagações é a própria raiz do julgamento, do caráter e da vontade". A capacidade de seu filho de prestar atenção não é uma preocupação apenas acadêmica. É uma questão do coração.

Para refletir

1. Como o tempo diante das telas tem afetado a capacidade de seu filho de prestar atenção?
2. Seu filho tem dificuldade em prestar atenção na escola, na igreja ou em outros lugares onde se exige atenção?
3. Seu filho consegue ficar sentado sem fazer nada?
4. Você já viu seu filho passando de uma tarefa para outra sem completar a que tem em mãos? Cite um exemplo.
5. Reflita sobre os hábitos de leitura de seu filho. O que você pode fazer para aumentar o tempo de leitura, o vocabulário ou a compreensão dele?
6. O que você tem feito para incentivar seu filho a ler mais?

7. Se seu filho sofre de TDAH, o que você pode fazer para ajudá--lo a navegar no mundo virtual de modo construtivo?
8. Por que a multitarefa é perigosa para seu filho?
9. Você tem sugestões para auxiliar seu filho a realizar o dever de casa? (Para mais ideias, ver a página 122.)
10. Quanto tempo por dia seu filho passa brincando longe das telas eletrônicas?

8

O TEMPO DIANTE DAS TELAS E A TIMIDEZ

> "A timidez é alimentada em parte porque muitas pessoas passam horas a fio sozinhas, isoladas em *e-mails* e em conversas virtuais, o que reduz o contato face a face com outras pessoas."
>
> PHILIP ZIMBARDO

Agora você já sabe quais são as cinco habilidades "nota 10" de que seu filho necessita para ser bem-sucedido nos relacionamentos: afeto, gratidão, controle da raiva, pedido de perdão e atenção. Nesta parte do livro, vamos responder àquelas perguntas incômodas que muitos pais fazem a respeito do impacto que o tempo diante das telas exerce na vida familiar.

Sentada em companhia de outros pais, Nikki tirou uma revista da bolsa para ler enquanto aguardava a filha terminar a aula de balé. Antes de iniciar a leitura, decidiu apresentar-se à mãe a seu lado.

— Oi, meu nome é Nikki. E o seu?

— Ah, prazer em conhecê-la — disse a outra mulher, sentada ao lado de um garoto que parecia ter uns 10 anos.

— Meu nome é Grace, e este é Peter, meu filho. — fez um gesto em direção a Peter e virou-se para ele. — Peter, esta é a sra. Nikki.

Peter continuou a olhar para o *video game* em seu colo. As palavras da mãe não geraram reação nenhuma. Depois de uma pausa, a mãe disse um pouco constrangida:

— Desculpe. Peter é muito tímido. Sempre foi assim.

Embora gostasse de fazer amigos na escola e não tivesse problema em se apresentar diante da turma do 4º ano, Peter sempre agia com timidez na presença de adultos. A mãe nunca o forçou a ter contato com amigos dela, por imaginar que Peter fosse tímido e que, com o passar do tempo, ele mudaria de comportamento.

Crianças como Peter escondem-se com facilidade por detrás das telas eletrônicas a fim de evitar interações que pareçam desagradáveis ou desnecessárias. Estudos mostram números cada vez maiores de jovens que se dizem tímidos. Muitos especialistas acreditam que esse número em ascensão se deve parcialmente ao isolamento social produzido pela conexão digital. *Video games*, buscas *on-line*, *e-mails* e mensagens instantâneas são atividades isoladas, particulares, que não exigem a presença de outras pessoas. As crianças plugadas não experimentam muita comunicação não verbal e interação face a face.

Num estudo, cerca de metade das crianças dos Estados Unidos se descreveram tímidas, mas apenas 12% das pesquisadas se enquadraram na categoria de fobia social.[1] A maioria das crianças pesquisadas se assemelha a Peter, isto é, não são verdadeiramente tímidas. Podem aprender a interagir com outras pessoas com relativa facilidade, se conseguirmos fazê-las sair da frente das telas.

Timidez: o que é e o que não é

Quando nos referimos a timidez, estamos falando de uma criança que fica nervosa e desconfortável ao se encontrar ou conversar com outras pessoas. As crianças tímidas não se adaptam tanto quanto seus colegas na sala de aula nem no intervalo, pois se retraem na companhia de outros. Quanto mais a criança evitar conhecer novas pessoas e afastar-se de ambientes sociais, mais empecilhos isso trará para ela na vida adulta.

No entanto, não devemos confundir timidez com discrição. Se um de seus filhos é o rei da festa e o outro mal abre a boca em público, não significa que a criança calada seja tímida. Crianças desinibidas, extrovertidas e falantes são sempre muito apreciadas. Porém, crianças mais caladas e introvertidas são boas ouvintes e raciocinam de forma analítica.

Se você não sabe o que é saudável e o que não é em uma criança discreta e reservada, reflita sobre estas características:

Saudável	Não saudável
Faz contato visual	Evita contato visual
É cortês	É grosseira, indiferente
É contente	É insatisfeita
É bem comportada	Tem problemas de comportamento
As pessoas ficam à vontade com ela	As pessoas não ficam à vontade com ela

Não pense que seu filho é tímido só por ser reservado. Talvez ele não queira levantar a mão na classe, mas discute o assunto num grupo menor. Não há nada de errado em seu filho ser mais retraído que as outras crianças. Mesmo que ele fique nervoso e sinta medo de pessoas e situações novas, evite rotulá-lo de tímido.

Quando ouve repetidas vezes que é tímida, a criança encontra uma desculpa para não desenvolver habilidades sociais. Ela poderá dizer: "Ah, sou tímida", ganhando passe livre para não ser educada e não conversar com os outros. Para algumas crianças, é muito conveniente ser tímida.

Você não precisa transformar seu filho retraído numa criança exibicionista. Deve apenas ensiná-lo a participar da vida e apreciar a companhia das pessoas. As crianças introvertidas e extrovertidas têm algo em comum: precisam aprender o que é adequado quando interagem com os outros.

Criando um novo padrão de normalidade

Lembra-se de como Peter, 10 anos, evitou conhecer aquela mãe na aula de balé? Pode haver certa reticência por parte das criança para abrir-se e conhecer alguém que esteja conversando com seus pais. Os adultos são às vezes intimidadores. Como pais, precisamos lembrar que os filhos farão o que ensinarmos a eles. Se os instruirmos desde pequenos a olhar um adulto nos olhos e a fazer perguntas, estaremos ensinando uma habilidade valiosa a eles. Eles se sentirão à vontade conversando com adultos porque os ensinamos a fazer isso. As crianças que se sentem ameaçadas ou nervosas quando falam com alguém podem praticar dentro e fora de casa até aprenderem um novo padrão para interagir com as pessoas. As que se mostram desinteressadas podem ser ensinadas sobre bons modos.

O mesmo método se aplica ao ensinar as crianças a interagir com outras crianças. Da próxima vez que estiver em uma reunião social e vir seu filho sozinho, você poderá dizer a ele: "Ei, olhe o Paul, sozinho ali no canto. Por que você não vai lá conversar com ele? Como todas as outras crianças estão brincando, talvez ele pense que ninguém quer saber dele. Convide-o para participar da brincadeira". Você estará ensinando seu filho a ser proativo para fazer amizades.

Eu (Arlene) era uma criança reservada. Quando meus pais começaram a frequentar uma igreja, eu não queria me separar deles, por isso me recusava a ir à sala das crianças com outras da mesma idade que eu. Depois de meses sentada ao lado de meus pais durante o culto, minha mãe decidiu me dar uma pequena injeção de ânimo.

"Logo você vai participar do programa das crianças", ela disse. "Quando entrar na sala, procure outras crianças que estejam sem os pais por perto. Pode ser que estejam tão nervosas quanto você. Sente-se perto delas e pergunte o que gostam de fazer e quem são os pais delas. Se você procurar pessoas que precisam de um amigo, não vai ficar sozinha."

A princípio, foi difícil vencer o nervosismo e conversar com uma criança que eu não conhecia. Em pouco tempo, porém, aprendi a cumprimentar as meninas que estavam sentadas sozinhas. Fui ficando cada vez mais à vontade para conversar com outras crianças, e agora, trinta anos depois, ainda sigo o conselho de minha mãe quando estou numa sala cheia de pessoas que não conheço.

Ajude seu filho a criar um novo padrão de normalidade no que diz respeito a interagir com as pessoas. Instrua-o a concentrar-se no outro em vez de em si próprio quando se sentir nervoso. Resista à tentação de falar por seu filho quando estiverem juntos. Se houver uma pausa incômoda, dê tempo a ele para se enturmar em vez de querer tirá-lo rapidamente da situação.

Se seu filho estiver usando um aparelho eletrônico quando uma pessoa começar a falar com ele, ensine-o a largar o aparelho, olhar para a pessoa e sorrir. Primeiro as pessoas, depois os celulares, os *tablets* e os *video games*. Sim, a tecnologia oferece alguns benefícios à criança tímida. Se a menina se sente desconfortável para falar a um grupo grande, ela pode digitar sua opinião na privacidade de sua casa e postá-la para centenas de crianças lerem. Pode representar um papel no mundo virtual e aprender algo que a ajude no mundo real com os amigos e amigas.

Todavia, tenha discernimento com relação ao tempo *on-line*. As crianças com problema de timidez poderão refugiar-se diante das telas em busca de companhia virtual. A melhor maneira de vencer a timidez é interagir com os outros no dia a dia — em casa, na escola, nas práticas esportivas ou na fila do supermercado. Se a criança passar horas *on-line* todos os dias, não adquirirá experiência com outras pessoas porque desperdiçará a maior parte do tempo livre sozinha com as telas.

Praticar, praticar, praticar

Em se tratando de aprender uma nova habilidade como acertar a bola no cesto ou tocar piano, você conhece o ditado: "A prática leva à perfeição". A prática também é importante para aprender habilidades sociais positivas. Pense em sua casa como o local do ensaio geral. É um lugar seguro onde seus filhos poderão treinar para iniciar conversas quando estiverem em ambientes sociais.

Comece explicando as vantagens que seu filho terá se agir amistosamente, mesmo quando sentir vontade de se isolar: o ambiente ficará mais divertido, ele fará bons amigos e gostará mais da escola e das atividades sociais. Conte-lhe como a amizade ajudou você na vida. Talvez você tenha superado a timidez em sua carreira profissional a fim de se tornar professor ou vendedor.

Eis algumas sugestões para praticar em casa com seu filho:

Encontros com os amigos. Faça de conta que você é um amigo que veio para brincar com seu filho. "Do que vamos brincar?", você pergunta. Peça a seu filho que escolha cinco atividades divertidas (como jogos de tabuleiro, futebol ou basquete). Joguem juntos por alguns minutos e explique que seria mais divertido se houvesse um amigo ali. Então, convide um bom garoto com quem seu filho se sinta à vontade. Não permita o uso de aparelhos eletrônicos e sirva um lanche bem gostoso.

Recreio divertido. Saia ao ar livre e faça de conta que está no intervalo das aulas de seu filho. Acompanhe suas atividades no recreio. Pergunte: "O que você faz quando começa o intervalo?". Sugira que ele procure um colega de sala ou outro garoto que esteja sozinho. Que tal ele se juntar ao grupo de meninos que está jogando futebol? E o que fazer se disserem que não há lugar para ele? Simule situações diversas e observe como seu filho reage. Ouça suas preocupações ou ansiedades a respeito do intervalo e de brincar com outras crianças. Encene as situações para ajudá-lo a interagir com os colegas de classe.

Navegando pela sala de aula. Peça a seu filho que se sente diante de uma mesa e finja que você é o professor. Faça uma pergunta e peça a ele que levante a mão e dê a resposta. Diga-lhe que ele não precisa levantar a mão todas as vezes, mas que seria bom levantar ao menos uma vez por semana. Ressalte a importância de estabelecer contato visual com a professora. Se seu filho tiver de fazer uma apresentação para a sala inteira, pratiquem diversas vezes em casa diante dos irmãos e irmãs e dos bichinhos de pelúcia.

Conhecendo adultos. Você pode tornar essa atividade mais divertida se colocar um chapéu ou vestir um paletó. Você é o adulto desconhecido, então treine como fazer a apresentação: "Querido, este é o sr. Davis". Peça a seu filho que olhe em seus olhos e diga: "Prazer em conhecê-lo, sr. Davis". Vá um pouco além e ensine-o a fazer uma pergunta ao recém-conhecido: "Como vai?" ou "Com o que o senhor trabalha?".

Elogiando e sendo elogiado. Faça de conta que você é um amigo, um técnico de futebol ou um professor e elogie seu filho do seguinte modo: "Você se saiu muito bem hoje". Peça a seu filho que treine olhar em seus olhos e diga: "Obrigado". Incentive-o a não resmungar um agradecimento, mas sim dizê-lo com clareza e entusiasmo. Peça então que ele elogie você. Desafie-o a elogiar uma pessoa naquele dia e depois lhe contar os detalhes.

Pedindo ajuda. Esta será fácil para você encenar. Faça de conta que se sentou em sua mesa e está com muitas tarefas a fazer. Peça a seu filho que interrompa você com um pedido urgente. Ensine-o a chamar sua atenção e a falar, desde que tenha um pedido urgente que não possa esperar na escola ou em outros lugares. Explique a diferença entre um pedido urgente e importante e algo que possa esperar. Se seu filho estiver sofrendo *bullying*, por exemplo, ele precisará de confiança para contar a alguém. Você poderá simular essa situação antes que aconteça, para que ele saiba o que fazer se houver necessidade.

Lendo sinais não verbalizados. A comunicação bem-sucedida consiste em palavras e sinais não verbalizados. As telas não ensinam as nuanças da linguagem corporal e das expressões faciais. Mas você pode encenar diversas expressões faciais para testar seu filho. Enquanto faz expressões faciais diversas (de tristeza, raiva, felicidade etc.), peça a seu filho que as identifique. Folheiem uma revista juntos e identifiquem as diferentes emoções das pessoas que aparecem nas fotos. O olhar delas diz o quê? O que a linguagem corporal expressa?

Quanto mais vocês praticarem essas habilidades sociais em casa, mais confortável seu filho se sentirá quando fizer uso delas fora de casa. Exponha seu filho a uma ampla variedade de experiências, como:

- Visitar uma biblioteca para ler histórias.
- Ingressar num grupo de escoteiros.
- Pedir ajuda ao vendedor da livraria para encontrar um livro.
- Visitar o zoológico com outra família.
- Pedir comida no restaurante.
- Conversar com o balconista da mercearia.

Você também pode incentivar seu filho a ser mais comunicativo. Marque pontos para determinadas atividades e depois comemorem juntos ou dê um prêmio a ele pelos pontos ganhos. Por exemplo:

- 1 ponto por ter conversado com um colega no intervalo.
- 3 pontos por ter mantido contato visual quando apresentado a um adulto.
- 5 pontos por ter feito amizade durante um jogo.
- 10 pontos por ter se enturmado com as crianças da igreja.

Rejeição, *bullying* e dias em que nada dá certo

Wendy, 6 anos, chegou chorando em casa — de novo. Desde que mudou de escola, três semanas antes, ainda não conseguira fazer amizades. Era tímida, e a mudança foi particularmente difícil para ela. Na hora do almoço daquele dia, ela fez uma tentativa corajosa de sentar-se perto de algumas colegas de sala, mas elas olharam para ela com desdém e disseram: "Desculpe, não cabe mais ninguém nesta mesa". Em silêncio, Wendy encontrou outro lugar na cantina para se sentar enquanto lutava para conter as lágrimas.

> **Cinco frases que você não deve dizer a seu filho retraído**
>
> 1. Não seja tímido.
> 2. Não se preocupe, eles não mordem.
> 3. Não fique quieto aí. Diga alguma coisa!
> 4. O gato comeu sua língua?
> 5. Por que você não sai de casa como sua irmã?

Não obtendo muito sucesso no quesito amizade, Wendy parou de tentar puxar conversa no recreio. Tornou-se mais fechada na sala, quase sempre evitando contato visual com os colegas e com a professora. Em casa, começou a passar mais tempo diante da televisão depois das aulas.

Eric, 11 anos, adorava jogar futebol, mas tinha pavor de treinar. Luke, um de seus colegas de time, de 12 anos, vivia zombando dele. Dizia coisas como: "Se você quiser ganhar o jogo, não toque a bola para o Eric" e "Com quem você aprendeu a jogar? Com um bando de garotinhas?". Em vez de falar do *bullying* aos pais, Eric fechou-se em seus *video games*, onde ninguém podia incomodá-lo.

Quando crianças como Wendy e Eric têm dificuldade de adaptar-se a ambientes sociais, torna-se mais fácil refugiar-se na segurança das telas. Se a criança se sentir excluída, basta um *smartphone* nas mãos ou um *video game* portátil. Ela parecerá ocupada, atarefada e com ar de importante. A companhia das telas é muito mais fácil que a companhia de outras pessoas. As telas não se importam se você diz ou faz algo errado. Não julgam seus comentários ou seu comportamento. Você não precisa causar boa impressão ou arriscar-se a sofrer constrangimento ou rejeição. O *tablet* não quer saber se você acordou com uma espinha no nariz, nem se divertirá à sua custa. Basta a companhia de um jogo ou de um programa de televisão para você sentir-se conectado com o mínimo esforço.

Se a criança tímida passa três, quatro ou cinco horas por dia diante da televisão ou de *video games*, o que ela está perdendo? Interações humanas saudáveis como sentar-se para conversar com a família, fazer compras no supermercado, brincar no jardim de casa ou jogar bola com um irmão ou irmã. Essas atividades ajudam as crianças a ter mais facilidade de quando interagem com as pessoas, não apenas da família, mas de modo geral. Em contrapartida, o tempo diante dos aparelhos eletrônicos faz a criança se fechar e reforça comportamentos negativos. De acordo com a Clínica Mayo, o tempo excessivo que crianças de 4 anos passam diante da televisão está relacionado a *bullying* na faixa etária dos 6 aos 11 anos.[2]

Se a criança ficar conectada por muito tempo a computadores e *video games*, como aprenderá a adaptar-se às pessoas em vez de recolher-se ou ser antissocial? Quando a criança tímida tem laços fortes e pessoais em casa, isso lhe dá grande vantagem se precisar lidar com *bullying* ou rejeição. A mãe ou o pai pode orientá-la carinhosamente diante das ofensas das outras crianças.

Bons modos na hora das refeições

Há um momento especial no dia para você se conectar ao coração de seu filho — e esse momento é despertado pelo estômago. Uma pesquisa mostra que refeição em família traz grande benefício às crianças. Os jovens cujas refeições são feitas em família passam mais tempo fazendo o dever de casa e lendo por prazer. Tendem a comer alimentos nutritivos e são menos propensos, no futuro, a usar substâncias tóxicas, praticar sexo ou ter tendências suicidas.[3]

Seu modo de agir na hora das refeições é extremamente importante. A televisão permanece ligada? Você engole a comida rapidamente para sair logo da sala de jantar? Se for assim, você está perdendo as vantagens do tempo de refeição em família. Essa é uma ocasião para *conversar*. Esses momentos sagrados ao redor da mesa podem ajudar seu filho a vencer a timidez. No jantar, você pode fazer perguntas como: "O que você fez de bom hoje?" e "Qual foi a pior parte do dia para você?". Aprendemos coisas incríveis quando nos sentamos ao redor da mesa e ouvimos com atenção.

Lembre-se de pôr os celulares para vibrar e não toque neles durante a refeição. Desligue a televisão e o rádio, a não ser que queira ouvir uma música suave ao fundo. Não permita interrupções de aparelhos eletrônicos que comprometam o tempo de qualidade da família. Mostre a seus filhos que o jantar não diz respeito apenas a comer, mas também a conversar.

As agendas lotadas dificultam encontrar um momento em que todos os membros da família possam se sentar juntos para comer. Um filho está treinando futebol enquanto o outro estuda piano, e você corre pela cidade como se fosse um motorista de táxi. Eu (Gary) lembro-me das várias vezes que tivemos de trocar o horário do jantar, para mais cedo ou para mais tarde, por causa da programação das crianças ou da minha. Mas todos nós sabíamos que o jantar em família era importante e não medíamos esforços para que ocorresse.

Nossa sugestão é estabelecer a meta de sete ou mais refeições em família por semana. Dependendo da agenda familiar, vocês poderão jantar juntos todos os dias, ou ao menos todas as refeições de fim de semana, além de algumas esporádicas durante a semana. Haverá ocasiões em que você terá de fazer uma refeição rápida no carro a caminho do treino de vôlei de sua filha, mas faça disso a exceção, não a regra.

Antes de sair deste tópico sobre o horário das refeições, precisamos falar da importância de uma boa nutrição para a autoestima de seu filho. Quando a criança é saudável, tem o peso normal e é capaz de participar de atividades esportivas e brincadeiras no parquinho, ela recebe uma injeção de autoconfiança. Infelizmente, mais de um terço das crianças e adolescentes nos Estados Unidos está acima do peso adequado. Esse problema de saúde põe as crianças em risco de adquirir doenças inimagináveis para os jovens: problemas cardiovasculares, pré-diabetes, problemas nos ossos e nas juntas e apneia do sono, só para citar algumas.[4]

Crianças viciadas em aparelhos eletrônicos são, além de sedentárias, alimentadas por uma enxurrada de propagandas que aumentam seu desejo por alimentos nocivos à saúde. Essas crianças veem de 5 mil a 10 mil propagandas de alimentos por ano, a maioria relacionada a *fast-food*.[5] Ver televisão ou jogar *video game* à noite também prejudica o sono. A criança pode facilmente entrar no círculo vicioso de ver televisão ou jogar *video game*, não se exercitar, ingerir alimentos nocivos, dormir mal e ganhar peso. São hábitos destrutivos para qualquer criança, e para a criança tímida podem ser particularmente debilitantes, pois conduzem a um isolamento ainda maior.

A criança tímida que já se sente desconfortável em ambientes sociais só ficará mais nervosa se tiver de lidar com problemas de peso. Aquilo que você serve à mesa para a família — tanto em calorias quanto em conversa — causará impacto duradouro no bem-estar de seu filho.

Lembre-se: você não está tentando criar um filho extrovertido à força nem fazer dele alguém que ele não é. Pelo contrário, você quer ajudá-lo a relaxar na presença dos outros e conectá-lo a bons relacionamentos O contato social é uma necessidade humana fundamental. A interação com as telas mais que com pessoas produz um padrão de isolamento nada positivo. Mas você pode lutar contra isso — uma refeição por vez, uma conversa por vez —, até que seu filho se sinta bem na presença de outras pessoas.

Para refletir

1. O fato de seu filho ser reservado não significa que ele seja tímido. Reflita sobre esta afirmação pensando em seu filho: "Quando ouve repetidas vezes que é tímida, a criança encontra uma desculpa para não desenvolver habilidades sociais. Ela poderá dizer: 'Ah, sou tímida', ganhando passe livre para não ser educada e não conversar com os outros. Para algumas crianças, é muito conveniente ser tímida".
2. Se seu filho está jogando *video game* quando você chega em casa depois do trabalho, ele faz uma pausa para cumprimentá-lo?
3. Você já ajudou seu filho a superar a ansiedade de conhecer outras pessoas?

4. Releia as sugestões para praticar em casa com seu filho na página 133.
5. Que palavras de incentivo você pode dizer a uma criança que luta com a timidez?
6. Seu filho já sofreu rejeição ou *bullying*? Você conversou com ele sobre o assunto?
7. Seu filho está dentro do peso? O que você poderia fazer para proporcionar nutrição e exercícios apropriados?

9

O TEMPO DIANTE DAS TELAS E O CÉREBRO

> "A atual explosão de tecnologia digital não está apenas mudando nossa maneira de viver e de nos comunicar, mas também está alterando nosso cérebro de forma rápida e profunda."
>
> DR. GARY SMALL

Quando meus filhos (de Arlene) veem televisão, ficam vidrados no que está acontecendo na tela. Ao entrar na sala e ver as crianças com os olhos fixos e o corpo imóvel, meu marido diz alto e bom som: "Rápido! Desligue o vídeo antes que o cérebro dessas crianças seja sugado da cabeça!".

Sem dúvida você já viu seus filhos com os olhos grudados na tela. Embora saiba que o cérebro deles continua intacto, provavelmente já se perguntou o que toda aquela tecnologia *está* promovendo ali. As imagens em movimento são extraordinariamente estimulantes para o cérebro, seja na tela plana da televisão, seja na tela do *smartphone*. O cérebro em desenvolvimento da criança é particularmente sensível e está cada vez mais exposto a novas tecnologias.

Quando nasce, o bebê vem ao mundo equipado com cem bilhões de neurônios. Durante os três primeiros anos de vida, esses muitos neurônios trabalham ativamente, estabelecendo conexões uns com os outros. Os neurônios extras são eliminados por volta dos 3 anos. É como podar uma árvore: quando cortamos as conexões fracas, as fortes florescem.

Por meio de ressonância magnética, os neurocientistas mapearam o crescimento do cérebro em crianças e adolescentes. Os circuitos do cérebro frontal, que controlam a atenção, se desenvolvem mais rápido entre os 3 e os 6 anos. O segundo ciclo de formação da sinapse ocorre no cérebro pouco antes da puberdade (por volta dos 11 anos nas meninas e dos 12 anos nos meninos). Ocorre, então, uma nova poda dos neurônios na adolescência.[1]

Segundo alguns especialistas, esse é um momento particularmente importante no desenvolvimento, capaz de impactar a criança pelo resto da vida. O dr. Jay Giedd, do Instituto Nacional de Saúde Mental, diz:

> Nossa hipótese principal [...] é o princípio do 'use ou perca'. Se o adolescente estiver aprendendo música, praticando esporte ou estudando, aquelas são as células e conexões que ficarão ligadas permanentemente. Se estiverem deitados no sofá, jogando *video game* ou [assistindo à] MTV, aquelas são as células e conexões que vão sobreviver.[2]

A geração da era digital passa, em média, oito horas por dia diante das telas. Se seu filho faz o mesmo, pergunte-se: "Que tipo de células e conexões cerebrais moldará o futuro dele?".

O cérebro de seu filho na tecnologia

O dr. Gary Small, diretor do Centro de Pesquisas de Memória e Idade da Universidade da Califórnia em Los Angeles

(UCLA), dirigiu uma experiência fascinante para demonstrar como o cérebro humano muda com o uso da internet. Ele escolheu uma dúzia de usuários frequentes da internet e uma dúzia de não usuários e examinou o cérebro dessas pessoas enquanto elas faziam pesquisas no Google. O grupo de usuários mostrou atividade mais ampla na parte frontal esquerda do cérebro conhecida como córtex pré-frontal dorsolateral, ao passo que os novos usuários mostraram pouca, ou nenhuma, atividade nessa área. O cérebro deles parecia muito diferente quando fazia buscas na internet. Mas, quando os dois grupos leram textos corridos num livro, a tomografia do cérebro de ambos apresentou resultados semelhantes.

Esses novatos foram, então, instruídos a passar apenas uma hora por dia fazendo buscas na internet durante cinco dias. Após aquele período, o teste foi repetido. As novas imagens mostraram que o grupo tinha, agora, a mesma atividade no córtex pré-frontal que o grupo experiente quando pesquisava no Google. Em apenas cinco horas de uso da internet, o cérebro desse grupo havia sido remodelado.[3]

Os pais que acreditam que os filhos pequenos ficarão para trás se não embarcarem no trem da tecnologia podem se tranquilizar com base nessa experiência. O cérebro não leva muito tempo para aprender a usar a tecnologia. Se você permitir que seu filho fique na internet por cinco horas, como o grupo citado no estudo, sem dúvida ele se tornará rapidamente um perito em buscas, mensagens instantâneas, *video games* e *tweets*.

E se o cenário for o oposto? Se seu filho crescer diante das telas no período pré-escolar e no ensino fundamental, será que aquele cérebro conectado produzirá a concentração necessária durante as aulas? Será que o cérebro dele produzirá rapidamente empatia por um amigo ou lerá um texto longo e o compreenderá? Essas habilidades são mais difíceis de aprender em curto espaço de tempo.

Com o aumento do uso das telas, os circuitos neurais que controlam os métodos mais tradicionais de aprendizado, usados para ler, escrever e manter a concentração, são deixados de lado. Jeremy, 11 anos, passa o tempo depois das aulas e do treino de futebol jogando *video game*. Não se preocupa em aprender a escrever corretamente as palavras que usa porque sabe que o corretor ortográfico faz esse trabalho, e certas mensagens de texto não exigem grafia correta.

Não é interessante saber que os filhos do diretor de tecnologia da eBay estudam numa classe de nove alunos na qual a tecnologia é totalmente proibida? O mesmo fazem os funcionários de empresas gigantes da área digital, como Google, Apple, Yahoo e Hewlett-Packard. Não há nenhum computador e nenhuma tela.[4] Bill Gates permitiu que suas filhas usassem a internet somente durante 45 minutos por dia, inclusive *video games*. Também esperou que completassem 13 anos para permitir que tivessem um celular.[5]

As crianças que crescem diante das telas tornam-se viciadas em usar seus aparelhos para comunicar-se em vez de interagir face a face com as pessoas. O dr. Gary Small diz: "Os caminhos para a interação e a comunicação humanas enfraquecem ao mesmo tempo que as habilidades costumeiras de falar frente a frente atrofiam".[6] As redes sociais e as mensagens de texto servem para complementar a comunicação, mas quando correspondem praticamente ao total de seus contatos, seu filho perde muita coisa.

As crianças adoram as palavras *eu*, *meu* ou *minha*. O cérebro infantil não produz empatia com os outros de forma natural. A empatia precisa ser aprendida, e o tempo diante das telas quase sempre trabalha contra isso. Quando estamos fisicamente com uma pessoa, podemos ver a mudança de expressão quando ela se sente magoada. Não podemos ver nem sentir essa emoção *on-line*. Os vídeos que envergonham outras crianças podem tornar-se a nova sensação que todos compartilham sem levar em conta os sentimentos da pessoa envolvida. Quando uma criança passa muito tempo com aparelhos eletrônicos, começa a desligar-se dos sentimentos alheios. As buscas *on-line* frequentemente se desviam do objetivo, expondo o cérebro da criança a imagens chocantes e conteúdo impróprio.

Sim, é verdade que o cérebro também se beneficia do tempo passado diante das telas. O uso da internet prepara o cérebro da criança para buscas virtuais rápidas. O desenvolvimento dos músculos do cérebro está relacionado a tomadas de decisões rápidas, acuidade visual e multitarefa. A criança que joga *video game* é capaz de enxergar algo em sua visão periférica que passa despercebido para crianças que não jogam. Quem está acostumado a jogar se sai muito bem nas tarefas motoras visuais, como usar *joystick*, rastrear objetos ou fazer buscas visuais.

Mas será que esses benefícios são tão importantes a ponto de sacrificar outras áreas do desenvolvimento do cérebro, como ler, escrever, manter a concentração e sentir empatia?

A leitura no século 21

Inventada em 1455, a imprensa de Gutenberg viria a ser uma das invenções mais poderosas da história. A era da imprensa levou conhecimento a quem se dispôs a aprender a ler. A leitura de livros fortaleceu os músculos da razão, da lógica e da ordem. O lado esquerdo do cérebro tornou-se o hemisfério dominante, e muitos leitores se sobressaíram em campos diversos, como o da ciência. Experimentos revelaram que o cérebro das pessoas alfabetizadas difere do cérebro das não alfabetizadas no modo como entendem a linguagem, processam sinais visuais e formam lembranças.[7]

Séculos depois, as crianças não leem mais como costumavam ler. Eu (Arlene) fiquei pasma ao folhear uma Cartilha da Nova Inglaterra datada de 1777, considerado o livro escolar mais eficiente na história da educação norte-americana. A cartilha era usada por alunos que começavam a ler; seria o equivalente a um livro do 1º ano.

Seu filho conseguiria ler frases como estas no 1º ano?

Perspicácia indica rapidez de percepção.
Melado é o xarope que escorre do açúcar quando está esfriando.
Tribunal é uma corte para decidir ações judiciais.

Ou saberia soletrar estas palavras, escritas em sílabas:

Tem-pe-ra-tu-ra
Pa-ro-qui-a-no
Co-mi-se-ra-ção
Mis-ce-lâ-nea

Não é exatamente o vocabulário dos alunos do 1º ano de hoje, certo? O que aconteceu que diminuiu tanto assim a capacidade intelectual das crianças? Houve várias invenções: rádio, cinema, vitrola e televisão, que apresentaram um novo mundo de entretenimento às crianças. Mas, até pouco tempo atrás, a palavra escrita ainda era encontrada somente nos livros. Com a revolução eletrônica, hoje as palavras aparecem em computadores, *tablets* e *smartphones*. A internet é nosso novo meio de encontrar, armazenar e compartilhar informações.

Nicholas Carr escreve: "O mundo da tela, como já passamos a entender, é um lugar muito diferente do mundo da página. Uma nova ética intelectual assumiu o controle. Os caminhos de nosso cérebro foram mais uma vez redirecionados".[8] Por exemplo, as crianças e os adolescentes não leem, necessariamente, uma página da esquerda para a direita e de cima para baixo. Eles pulam um trecho ou outro e procuram informações interessantes. A internet os treinou a ler assim. A leitura *on-line* não é linear, mas sim cheia de *links* para clicar, sem necessariamente começo, meio e fim.

Os cérebros jovens e as telas[9]

Quando seu filho...

Tem 2 anos: Mais de 90% das crianças norte-americanas têm histórico *on-line* (como uma foto de bebê postada na internet), e 38% já usaram um celular.

Tem 5 anos: Mais de 50% interagem regularmente com um computador ou *tablet*.

Tem 7 anos: A maioria joga *video games* com frequência.

É adolescente: Envia uma média de 3.400 mensagens de texto por mês e gasta mais tempo nas redes sociais que com os pais ou professores.

Pegue uma revista popular para adultos ou crianças e você verá essa mudança para artigos mais curtos, fotos maiores, títulos em letras garrafais, sinopses rápidas, anúncios extravagantes e citações destacadas. Não há nada de errado em ler superficialmente revistas e livros ou navegar na internet, mas haverá algo muito errado se a leitura superficial se tornar dominante na vida de seu filho.

Os leitores tradicionais de livros mostram atividade nas regiões do cérebro associadas a linguagem, memória e processamento visual enquanto leem, mas não apresentam muita atividade nas regiões associadas a tomada de decisões e solução de problemas. Já os usuários da internet mostram atividades extensas nas regiões relacionadas a tomada de decisões e de solução de problemas quando navegam pelos *sites*. A leitura que exige concentração torna-se difícil *on-line* porque o cérebro precisa avaliar os *links*, decidir onde navegar e processar distrações como propagandas. Tudo isso se torna um empecilho para o cérebro entender o texto na tela. Nosso cérebro *on-line* trabalha rapidamente para tomar decisões e navegar em meio a distrações, mas não se concentra quando se trata de aprendizado.

O centro das recompensas

Bella, 5 anos, aperta o botão do controle remoto e vê uma imagem que a faz rir. É possível ver o sorriso no rosto dela, mas o que se passa em seu cérebro? O *nucleus accumbens*, o centro de prazer do cérebro, é responsável por controlar todas as experiências de prazer. Quando Bella vê o desenho animado, o neurotransmissor dopamina envia um sinal a esse centro de prazer. Bella sente-se bem enquanto vê televisão. Esse é um dos motivos que dificultam tirá-la da frente da tela para fazer o dever de casa ou jantar.

Quando as crianças procuram mais prazer vendo mais televisão ou jogando mais *video games*, o nível de dopamina no cérebro se torna cada vez mais elevado. Porém, quando o sistema de prazer do cérebro é usado exageradamente, o sentimento de prazer diminui. Os trinta minutos de *video game* que antes davam emoção à criança agora não produzem a mesma alegria. Assim, ela quer jogar mais ou encontrar um jogo mais estimulante, e começa a procurar aquela dose renovada de dopamina.

O prazer, em quantidades adequadas, é muito bom, mas em excesso prejudica seu filho. Compare a diferença entre levar a família para passar as férias na Disneylândia e viver ali por um ano. O prazer *pode* ser excessivo. O dr. Archibald Hart e a dra. Sylvia Hart Frejd escreveram em seu livro *The Digital Invasion* [A invasão digital]:

> Muitos de nossos comportamentos na internet, como participar de jogos virtuais ou interagir nas redes sociais, são tão prejudiciais ao centro de prazer quanto qualquer droga poderosa. O centro do prazer fica inundado de tal forma que somente os "grandes" estimulantes são capazes de enviar uma mensagem a ele. Prazeres pequenos e comuns são ignorados porque não têm o poder de vencer essa inundação. [...] O que tudo isso significa é que as emoções de nosso mundo digital, se excessivas, poderão causar dependência como uma droga e nos privar das alegrias simples da vida.[10]

O que é dependência tecnológica?

Esta é uma expressão relativamente nova, que está sendo cada vez mais usada pelos médicos. Um estudo pediu a mil alunos em dez países que parassem de usar a tecnologia e as redes sociais por apenas um dia. No fim daquele período de 24 horas, muitos alunos usaram repetidas vezes a palavra *dependência*. Um deles disse: "Senti comichões, como se fosse usuário de *crack*". Outros não conseguiram ficar um dia inteiro sem a tecnologia. A maioria disse que sentia falta do celular porque era sua fonte de conexão e bem-estar.[11]

Em lugares como China, Taiwan e Coreia do Sul, o Transtorno de Dependência da Internet não para de crescer, a ponto de 30% dos adolescentes nesses países serem considerados dependentes. Na Coreia do Sul, a maioria dos adolescentes frequente *lan houses*, ou centros de jogos. Sentados em fileiras de cubículos e computadores, adolescentes e jovens adultos se acomodam por longos períodos para jogar com outras pessoas ao mesmo tempo, pagando uma taxa por hora. Adolescentes e estudantes na casa dos vinte anos costumam jogar a noite inteira e, de manhã, vão exaustos para a escola ou o trabalho.

Em casos extremos, a dependência do computador torna-se mortal. Um jovem sul-coreano de 18 anos jogou durante cinquenta horas, com apenas alguns intervalos. Depois de desmaiar num *cyber café*, foi levado às pressas ao hospital, onde morreu logo em seguida, provavelmente de insuficiência cardíaca por exaustão.[12] Em resposta ao alarmante problema de vício em jogos, a Coreia do Sul decretou uma lei que proíbe adolescentes menores de 16 anos de jogar *on-line* entre a meia-noite e as seis horas da manhã. Centenas de hospitais e clínicas particulares de todo o país foram abertas para tratar do Transtorno de Dependência da Internet.

Os pais de nosso país também devem ser prudentes e levar em consideração as advertências da Coreia do Sul. Calcula-se que 95% a 97% dos jovens norte-americanos estão jogando *video games* de um tipo ou de outro.[13] As perguntas importantes a se fazer são: "Quanto tempo meu filho joga?" e "Que tipo de jogo ele está jogando?". Muitos psicólogos estão preocupados porque o tempo prolongado que as crianças passam jogando pode produzir mudanças de longo prazo no circuito cerebral semelhantes aos efeitos de dependência de substâncias químicas. As crianças viciadas em jogos não resistem ao impulso de jogar, mesmo que isso interrompa a higiene básica, a comida, o sono, os deveres de casa e o relacionamento com família e amigos.

Jogos como Tetris ou Solitaire não causam tanto dependência quanto jogos de tiro em primeira pessoa. Mais dependência ainda causam os jogos *on-line* nos quais um número elevado de jogadores interage dentro de um mundo virtual. Tome cuidado com o risco de dependência inerente nos jogos que seu filho está escolhendo. Há muita diferença entre um jogo e outro.

Ressonâncias do cérebro sugerem que *video games* violentos podem alterar diretamente a atividade cerebral em pouco tempo, às vezes em uma semana. Pesquisadores escolheram um grupo de rapazes de 18 a 21 anos, com pouca ou nenhuma experiência em jogos violentos. Metade dos participantes se envolveu em jogos de tiro em primeira pessoa durante dez horas, e não jogou absolutamente nada na segunda semana. O outro grupo não jogou nenhum *video game*. O grupo que jogou apresentou menos ativação nas áreas do cérebro responsáveis por controlar a regulação emocional e o comportamento. Esse padrão se revelou novamente no fim da segunda semana, embora o grupo tivesse parado de jogar *games* violentos. Bastou uma semana de jogos durante dez horas para provocar uma mudança no cérebro.[14]

O cérebro de plástico de seu filho

O cérebro de seu filho pode não se tornar uma massa mole como mingau, mas podemos dizer que é um cérebro plástico. Plasticidade cerebral refere-se à capacidade do cérebro de mudar e adaptar-se. Cientistas e médicos acreditavam que a anatomia do cérebro se fixava após a infância, porém estudos recentes provaram que o cérebro dos adultos pode mudar quando reage a novas informações, comportamentos ou ambientes.

No final da década de 1990, pesquisadores ingleses examinaram, por meio de ressonância magnética, o cérebro de dezesseis taxistas de Londres. Eles descobriram que o hipocampo posterior dos taxistas, a parte do cérebro responsável pela navegação espacial, era muito maior que a normal. Além disso, quanto mais tempo de experiência o taxista tinha, mais seu hipocampo havia aumentado. Mesmo na fase adulta, o cérebro deles havia mudado.[15]

O cérebro de pessoas idosas é capaz de aprender novas habilidades, porém é mais fácil aprender essas habilidades na juventude. O cérebro de seu filho consegue aprender matemática, leitura, outros idiomas, música e muito mais. Como pai ou mãe, você pode moldar o cérebro dele de maneira positiva ao equilibrar o tempo diante das telas com leitura, esporte e outras atividades.

Ethan, meu filho (de Arlene) de 9 anos, adora ler. Enchemos nossa casa com biografias de heróis porque queríamos que Ethan enchesse o cérebro com histórias de coragem e valores morais. Ele devorou livros sobre Winston Churchill, Eric Liddell, Corrie ten Boom, Douglas MacArthur e outros. Quando visitei sua escola pública, a bibliotecária chamou-me de lado e contou-me esta história.

"Eu estava lendo o livro *Yertle the Turtle* [Yertle, a tartaruga], do Dr. Seuss, para a classe do 3º ano de Ethan", a bibliotecária contou. "É a história de Yertle, o rei da lagoa, que subia no casco de seus súditos a fim de alcançar a lua. Eu disse à sala que o Dr. Seuss se inspirou num famoso líder mundial para criar o personagem do rei das tartarugas. Perguntei:

'Alguém sabe quem foi esse líder?'. Ethan levantou a mão e respondeu: 'Hitler'."

A bibliotecária ficou admirada. Ethan estava certo. Nos muitos anos em que ela trabalhava como bibliotecária, ele foi o primeiro aluno do 3º ano que respondeu à pergunta corretamente.

Ela prosseguiu dizendo que alguns alunos do 6º ano não conseguem fazer esse tipo de ligação. Aquilo impressionou muito a bibliotecária — e a mim também. Vi o fruto de ter um leitor em casa, não um perito em *video games*. O cérebro de Ethan é plástico, e tenho a oportunidade de moldá-lo.

Paz de espírito

Kurt e Leslie têm dois filhos, de 9 e 11 anos. Os melhores amigos do casal têm filhos da mesma idade que possuem aparelho de televisão no quarto. Resultado: os filhos de Kurt e Leslie viviam pedindo um aparelho para eles. Mas a resposta era sempre negativa. Kurt e Leslie acreditavam que o estímulo digital exagerado prejudicaria o cérebro dos filhos.

Um número considerável de especialistas concordaria. Quando as crianças usam a tecnologia de forma exagerada, o estímulo constante do cérebro eleva o hormônio do estresse chamado cortisol. O nível muito elevado de cortisol pode impedir a criança de sentir calma e bem-estar. O dr. Archibald Hart diz:

> Parte da função do cortisol é bloquear os receptores de tranquilidade, tornando a pessoa mais ansiosa e preparando-a para lidar com uma emergência. Só que não se trata de uma emergência verdadeira, mas de uma emergência induzida pelo jogo. Essa perda de tranquilidade pode causar sérios transtornos de ansiedade.[16]

Se seu filho passa horas jogando, enviando mensagens de texto ou envolvido nas redes sociais, o cérebro dele está recebendo uma inundação de cortisol. Para reduzir o nível de estresse de seu filho, pratique estas quatro atividades em casa, a fim de sentir paz de espírito.

Tempo de descanso. Depois de um bom exercício físico, os músculos precisam se recuperar. O mesmo se aplica ao cérebro. O cérebro não fica cansado, mas necessita de tempo entre uma tarefa e outra para processar e consolidar as informações. Esse "tempo livre" do cérebro é, muitas vezes, consumido diante das telas. O cérebro de seu filho necessita ficar ocioso de tempos em tempos.

Uso restrito de aparelhos eletrônicos. Sem limites estabelecidos, a criança passa facilmente horas a fio mudando de uma tela para outra. Um episódio da série de televisão predileta transforma-se em dois. Uma pausa rápida para jogar *video game* transforma-se em horas diante da tela. Christy, professora do 4º ano, calcula que seus alunos passem pelo menos metade do tempo livre depois das aulas jogando *video games*. Ela gostaria que houvesse limites de tempo para o uso de aparelhos eletrônicos em casa e mais leitura e atividades físicas.

Exercícios físicos. Os exercícios influenciam o desenvolvimento do cérebro de seu filho de muitas maneiras positivas. Aumenta o ritmo cardíaco (que bombeia mais oxigênio ao cérebro), reduz o cortisol e consome a adrenalina. Estudos mostram que as crianças que se exercitam com regularidade tiram notas mais altas, são mais concentradas e dormem bem.[17] A atividade física libera elementos químicos do cérebro que combatem o estresse de modo natural.

Sono. Determinados estágios do sono são necessários para cimentar o que seu filho aprendeu durante o dia, e isso não ocorre se seu filho dorme mal. No dia seguinte, a criança sonolenta não consegue concentrar-se nem prestar atenção em matérias novas. É um círculo vicioso, mas pode ser remediado com algumas estratégias. Estabeleça um horário de dormir para seu filho e deixe o quarto dele escuro, silencioso e confortável. Não deixe aparelhos eletrônicos no quarto, pois o clarão da tela mantém as crianças despertas. Desligue a televisão, o computador ou o *tablet* meia hora antes de dormir para evitar o estímulo da adrenalina, que atrapalha o sono. Lembre-se também da arma secreta do exercício físico: quanto mais vigorosa for a atividade, maiores serão os benefícios do sono.

Se você ainda não pratica esses hábitos, nunca é tarde para começar. Enquanto seu filho morar sob seu teto, você poderá fazer ajustes saudáveis, a começar por hoje. Um pai chamado Jerry, que assistiu a uma de minhas palestras (de Gary), tinha dois filhos, um rapaz de 22 anos e uma moça de 19. Apesar de ter estabelecido limites de tempo para o uso do computador e da televisão, ele disse que hoje agiria de forma diferente. "Eu teria restringido muito mais coisas se pudesse voltar atrás. Olhando em retrospecto, sei que as propagandas e os programas que eles viam não serviam de bom exemplo. Poderíamos ter passado mais tempo juntos em família." Os filhos de Jerry são adultos. É tarde demais para ele trocar o tempo diante das telas por algo mais valioso.

No entanto, não é tarde demais para você. O neurocirurgião Ben Carson disse: "Não permita que ninguém o transforme em escravo. Você será escravo se permitir que a mídia lhe diga que os esportes e o entretenimento são mais importantes que o desenvolvimento de seu cérebro".[18] Seu filho e seus bilhões de células cerebrais estão à espera de nutrição e desenvolvimento — não das telas, mas de você, pai ou mãe.

Para refletir

1. O que lhe passa pela cabeça quando vê seu filho com os olhos grudados na tela?
2. Se seu filho passar todo o período da pré-escola e do ensino fundamental desperdiçando tempo diante das telas, o que pode acontecer com o cérebro dele?
3. Como o tempo cada vez maior diante das telas ameaça o desenvolvimento de habilidades como ler, escrever e concentrar-se?
4. Que benefícios o tempo diante das telas traz ao cérebro? Esses benefícios compensam os malefícios? Como?
5. Se seu filho adolescente segue a média, ele envia algo em torno de 3.400 mensagens de textos por mês. Você acha que isso afetará o cérebro dele no futuro?
6. Você acha que o tempo que seu filho passa diante das telas está produzindo uma dose exagerada de prazer?
7. Você receia que seu filho se torne dependente das telas no futuro? Se sim, que medidas tomará para impedir isso?
8. Se o cérebro de seu filho é plástico e está sendo moldado diariamente, o tempo que ele passa diante das telas é benéfico ou prejudicial para seu desenvolvimento?
9. Releia a frase do neurocirurgião Ben Carson na página 156 e responda: o que você pode fazer para ajudar a desenvolver o cérebro de seu filho?

10

O TEMPO DIANTE DAS TELAS E AS LINGUAGENS DO AMOR

> "Sonho com o dia em que todas as crianças poderão crescer em lares cheios de amor e segurança, onde o desenvolvimento da energia delas seja canalizado para aprender e servir, em vez de desejar e buscar o amor que não recebem em casa."
>
> Dr. Gary Chapman

SDDS. SQN. BRINKS. Às vezes parece que você e seu filho estão falando línguas diferentes. Esses códigos significam: "Saudades", "Só que não" e "Estou só brincando". A comunicação é possível quando entendemos o código, porém é difícil demais sem entendê-lo.

Eu (Gary) venho ensinando às pessoas as cinco linguagens do amor há décadas. São elas: toque físico, palavras de afirmação, tempo de qualidade, presentes e atos de serviço. Essas linguagens do amor são um código para ajudar você a entender como seu filho recebe amor. Nunca me esquecerei do casal Brad e Emily, que me abordaram em meu seminário "O casamento que você sempre quis", preocupados com o filho Caleb, 8 anos. O menino estava brigando na escola, agindo de modo agressivo com os colegas e vivendo grudado na professora. Antes do 3º ano, ele havia sido um aluno acima da média, feliz e independente.

Perguntei ao casal se o modo de vida da família havia mudado no ano anterior. O trabalho de Brad como vendedor o mantinha afastado de casa, e ele ligava para a família duas vezes por semana à noite. Nos outros dias, o contato era feito por *e-mails* e mensagens de texto. Ele costumava jogar bola com Caleb nos fins de semana, mas fazia um ano que não jogava. Emily, que trabalhava fora meio-período, mudara para um emprego de período integral e não podia mais buscar Caleb na escola.

Depois de conhecer as cinco linguagens do amor, eles concordaram que a principal linguagem do amor de Caleb era *tempo de qualidade*. Perceberam que não haviam passado muito tempo com o filho nos últimos meses. Incentivei Brad a encontrar tempo em sua agenda para ficar com Caleb e disse a Emily que procurasse meios de passar mais tempo com o filho, como fazia antes de trabalhar o dia inteiro.

Cerca de dois anos depois, Brad e Emily compareceram a outro seminário e aguardaram para me dar uma boa notícia. Sorridentes, disseram: "Caleb está indo muito bem. Tomamos a decisão de dedicar a ele mais tempo de qualidade. Em duas ou três semanas, vimos uma mudança radical em seu comportamento. Recebemos um chamado da professora para comparecer à escola e ficamos preocupados. Mas dessa vez ela queria saber o que havíamos feito para produzir tal mudança em Caleb".

O casal aprendeu a falar a linguagem do amor do filho, a dizer que o amava de um modo que ele pudesse entender. Na criação dos filhos, tudo gira em torno do relacionamento de amor entre pais e filhos. Nada dará certo se as necessidades de amor da criança não forem atendidas. Somente a criança que de fato se sente amada e bem cuidada está apta a relacionamentos bem-sucedidos e saudáveis.

Toda criança possui um tanque emocional que a abastece durante os dias difíceis da infância e da adolescência. Expressar essas linguagens do amor a seu filho abastecerá o tanque emocional dele. Quando o tanque da criança está repleto do amor incondicional dos pais, é muito mais fácil conversar com ela e estabelecer limites em relação ao tempo diante das telas. Mas, quando a criança se sente negligenciada em sua linguagem do amor preferida, o tempo diante das telas pode erodir ainda mais o relacionamento entre ela e os pais.

Então, como a tecnologia impacta seu modo de expressar amor a seu filho? Criar filhos emocionalmente saudáveis é uma tarefa cada vez mais difícil neste mundo digital, que exige tanto de nossa atenção. Neste capítulo, você encontrará uma breve explicação para cada uma das linguagens do amor. (Para conhecer mais a respeito das linguagens do amor, recomendamos a leitura de *As 5 linguagens do amor das crianças*.)

Linguagem do amor nº 1: toque físico

Samantha é uma aluna do 5º ano cuja família se mudou para uma nova região da cidade. "Tem sido um ano complicado, por causa da mudança e pela dificuldade de fazer novas amizades", disse ela. Quando lhe perguntaram se achava que seus pais não a amavam por a terem afastado da antiga escola, ela respondeu: "Ah, não, eu sei que eles me amam, porque sempre me dão muitos beijos e abraços".

Como ocorre com muitas crianças, a linguagem do amor de Samantha é toque físico. O contato físico faz que ela se sinta segura e lhe transmite a mensagem de que o pai e a mãe a amam. Essa linguagem não se limita a um beijo ou abraço. Mesmo que você esteja atarefado, pode tocar seu filho gentilmente nas costas, no braço ou no ombro. Embora essa linguagem do amor seja fácil de expressar, estudos indicam que muitos pais só tocam os filhos quando necessário: quando os vestem ou os despem, quando os colocam no carro ou quando os carregam para a cama na hora de dormir. Ao que parece, muitos pais não sabem quanto os filhos necessitam ser tocados e como é fácil usar essa linguagem para manter o tanque emocional deles repleto de amor.

Bob tem dois filhos no ensino fundamental e um na pré-escola. Quando os dois mais velhos eram pequenos, Bob sempre os colocava no colo e lia uma história antes de dormirem. Ler com os filhos produz uma sensação de união e amor. A vida, porém, está cada vez mais agitada, e hoje os filhos mais velhos leem sozinhos. A filha mais nova, Lisa, 4 anos, lê livros infantis num leitor digital. É raro Bob colocar Lisa no colo para ler uma história para ela. Lisa senta-se no sofá e lê sozinha em seu aparelho eletrônico.

O leitor digital pode até economizar espaço, árvores e inconveniência, mas, se usado com os filhos, elimina algo importante: o contato físico entre pai e filho. É claro que o pai ou a mãe pode colocar o filho no colo e ler num leitor digital ou jogar com ele num *tablet*. De modo geral, porém, quando a criança permanece diante de uma tela, não toca no pai ou na mãe. Não está sendo carregada no colo. Não está sentada perto o suficiente para tocar na perna do pai ou da mãe. Quando a família se habitua a ficar diante das telas, perde o contato físico, que deveria ser parte da dinâmica normal numa família saudável.

Se a principal linguagem do amor de seu filho for toque físico, você saberá disso. Ele pulará em cima de você, o cutucará e tentará sempre se sentar a seu lado. Eu (Arlene) acho que a principal linguagem do amor de Lucy, minha filha mais nova, é toque físico, porque ela sempre quer sentar-se perto de mim e uma de suas palavras favoritas é *ABRAÇO!* Ela me pede todos os dias para lhe coçar as costas, e a primeira coisa que faz de manhã é entrar em meu quarto para ganhar um abraço.

Quando você passa o braço em torno de seu filho, brinca de "lutinha" com ele ou lhe pede um "toca aqui!", está dizendo que o ama e gosta de estar com ele. O contato físico transmite amor de forma poderosa a todos os seus filhos, não apenas aos pequenos. Ao longo do ensino fundamental e do ensino médio, seu filho continua a sentir forte necessidade do contato físico. Um abraço quando ele sai todas as manhãs pode ser a diferença entre segurança e insegurança emocional durante o dia. Um abraço quando ele volta para casa pode determinar se ele terá uma noite agradável ou se fará algo errado para chamar sua atenção. Os meninos mais velhos tendem a gostar de contatos mais vigorosos, como lutar e dar socos de brincadeira, abraços apertados, cumprimentos de mão e coisas do gênero. As meninas gostam também desse tipo de contato físico, mas preferem abraços mais suaves e ficar de mãos dadas. Os aparelhos eletrônicos não fazem nada disso, por mais avançados que sejam.

Linguagem do amor nº 2: palavras de afirmação

Muito antes de entender o significado das palavras, as crianças recebem mensagens emocionais. O tom de voz, o bom humor e a noção de cuidado comunicam amor e calor emocional.

As crianças pequenas adquirem a capacidade de usar palavras e conceitos, orientadas pelas palavras dos pais. Palavras recorrentes de amor, instrução e incentivo são essenciais para a saúde da criança — principalmente se palavras de afirmação forem a principal linguagem do amor dela.

No entanto, com o aumento do tempo diante das telas, as crianças estão ouvindo mais palavras dos aparelhos eletrônicos do que das conversas reais com a família. A criança não recebe palavras de afirmação significativas de um aparelho de televisão ou de um *tablet*. Mesmo que ela vença um *video game* e veja a tela piscar, não é o mesmo que ouvir alguém que a ama dizer: "Parabéns!".

Os aparelhos eletrônicos pouco podem fazer para proporcionar palavras de afirmação, a menos que o pai ou a mãe use o aparelho para falar ou digitar palavras de afirmação ao filho. Talvez quando seu filho mais velho chegar da escola você possa enviar-lhe uma mensagem de texto, dizendo: "Você estava muito bonito hoje quando saiu para a escola. Até mais". A tecnologia pode servir para enviar mensagens positivas a seu filho, mas é claro que suas palavras de afirmação não devem limitar-se a essas.

Crianças cuja linguagem do amor são palavras de afirmação necessitam ouvir com frequência palavras de afeto, elogios e encorajamentos que comuniquem: "Eu me importo com você". Incentivos são mais eficazes quando se concentram num esforço específico. O ideal é ver seu filho fazendo uma boa ação e elogiá-lo por isso. "Vi que você repartiu seus brinquedos com Christian hoje. Gostei disso. É assim que a gente faz amigos."

As crianças também necessitam de palavras de orientação: "Muito bem. Você escreveu seu nome direitinho", "Não desista; tenho certeza de que você consegue!". Todas as crianças são orientadas por alguém ou alguma coisa. Se você, como pai ou mãe, não for o guia principal de seus filhos, outras influências assumirão esse papel — e as telas lideram a fila. Pergunte a si mesmo se está preocupado com o tempo de seu filho diante das telas: "Meu filho está recebendo orientação positiva e amorosa durante esse tempo?".

Se a resposta for negativa, talvez você queira reconsiderar o tempo de uso dos aparelhos eletrônicos em casa. Quando a principal linguagem do amor da criança são palavras de afirmação, nada é mais importante para ela se sentir amada que ouvir o pai ou a mãe expressar palavras de afirmação. Às vezes, a preocupação com as telas por parte dos pais ou do filho interrompe esse fluxo de palavras positivas para o coração da criança.

Linguagem do amor nº 3: tempo de qualidade

Nathan, 6 anos, bate de leve no braço da mãe:

— Mamãe, você pode brincar um pouco comigo?

— Agora não — Jean responde. — Tenho de terminar de responder aos meus *e-mails*. Talvez mais tarde, tudo bem?

Dez minutos depois, Nathan volta, querendo saber se a mãe terminou de responder aos *e-mails*.

— Não, ainda não. Por favor, pare de me importunar. Quando terminar, eu aviso.

Nathan senta-se no sofá, liga a televisão e começa a procurar um programa que aprecie. Jean percebeu que a televisão está ligada e, embora não goste que Nathan veja televisão por muito tempo, fica aliviada por ele ter parado de importuná-la por alguns instantes.

Quando o programa termina, Jean respira fundo. Sabe que Nathan voltará a qualquer minuto para perguntar se ela está pronta para brincar. E é o que ele faz.

— Por que você não vê outro programa? — ela pergunta.

Se ele lhe der mais trinta minutos, ela terminará a lista de afazeres e dará atenção a Nathan.

É muito possível que Nathan esteja revelando sua principal linguagem do amor — tempo de qualidade. Para sentir-se amado, ele precisa da atenção total da mãe. Isso é tão importante para Nathan que ele insiste com a mãe várias vezes. Se Jean tivesse brincado com ele durante quinze minutos, provavelmente teria voltado a trabalhar em paz mais tarde naquela noite.

Em muitos lares, as crianças sentiriam mais falta dos computadores e outros aparelhos eletrônicos que do pai ou da mãe, porque elas passam a maior parte do tempo jogando *video games*, vendo televisão ou enviando mensagens de texto aos amigos. Mas, embora sejam cada vez mais mais influenciadas por agentes fora da família, as crianças precisam da influência fortalecedora de um tempo pessoal passado com os pais.

É difícil ter tempo de qualidade com um filho na presença de aparelhos eletrônicos. Sim, você pode falar, enviar mensagens de texto ou e-*mails* quando estão longe um do outro. Pode sentar-se no sofá e assistir a um filme à noite com a família. Mas tempo de qualidade significa dar atenção total a seu filho, e quando a televisão, o celular ou o *video game* estiver presente, ele não receberá essa atenção.

Tempo de qualidade inclui contato visual carinhoso. Olhar seu filho nos olhos é uma forma extraordinária de transmitir o amor de seu coração para o coração dele. Infelizmente, entre olhar para o computador durante a aula ou trabalho e ficar mexendo nos aplicativos do celular, sobra pouquíssimo tempo para pais e filhos olharem nos olhos uns dos outros.

Reservar tempo para brincar com o filho não significa apenas *fazer* coisas juntos. Tempo de qualidade é uma forma de *conhecer* melhor a criança. À medida que passar tempo com seu filho, você descobrirá que o resultado natural será quase sempre uma boa conversa sobre tudo o que se relaciona com a vida da família.

Linguagem do amor nº 4: presentes

Talvez você pense que presentes seja a linguagem do amor de todas as crianças, a julgar pela maneira como imploram pelas coisas. É verdade que todas as crianças querem ter mais e mais, porém aquelas cuja linguagem do amor é presentes reagirão de modo diferente quando receberem um presente. Vão querer algo mais. Vão querer que o presente seja embrulhado ou, pelo menos, oferecido de maneira criativa e única. Em geral, darão gritos de alegria quando abrirem o presente. Parecerá algo extraordinário — e para elas é mesmo. Elas querem sua atenção enquanto abrem o presente. Assim que abrirem o presente, darão um grande abraço em você ou lhe agradecerão sem parar.

O presente será colocado em lugar de destaque, e elas o mostrarão a você várias vezes nos dias seguintes. O presente ocupa lugar especial no coração das crianças porque é, de fato, uma expressão de amor dos pais. Não importa se o presente foi confeccionado, encontrado ou comprado; o importante é que você pensou naquele filho.

A era digital tem dado ênfase exagerada ao ato de presentear. Milhares de comerciais e propagandas desfilam os brinquedos e aparelhos mais recentes, despertando nas crianças um desejo que não existia trinta segundos antes. Pais e avós enchem a criança de presentes de tal forma que o quarto dela mais parece uma loja de brinquedos desorganizada. Com tantos excessos, os presentes perderam o que tinham de especial. Muitas crianças possuem tantos brinquedos que nem conseguem brincar com eles. Presentear em profusão é como levar a criança a uma loja de brinquedos e dizer: "É tudo seu!". A princípio, a criança ficará entusiasmada, mas depois de algum tempo começará a correr em todas as direções sem brincar com nada.

Os pais e avós precisam presentear menos e escolher com mais cuidado presentes significativos. As perguntas a seguir poderão ajudá-lo a avaliar se você deve ou não comprar um brinquedo ou aparelho eletrônico para seu filho:

- Que mensagem este brinquedo transmite a meu filho?
- Eu me sinto à vontade com essa mensagem?
- O que meu filho pode aprender com este brinquedo?
- De modo geral, o efeito será positivo ou negativo?
- Tenho condições de pagar por este brinquedo?

Nem todo brinquedo precisa ser educativo, mas todos devem ter um propósito positivo na vida de seu filho. Tome cuidado para não comprar aparelhos eletrônicos que exponham seus filhos a valores morais muito distantes dos de sua família. Eles já recebem informações em demasia da televisão, dos vizinhos e dos colegas de escola.

Não permita que a propaganda ou a cultura popular o convença de que deve comprar presentes caros, como *tablets* ou *smartphones* de última geração. Neste mundo conectado, os presentes para crianças são muito mais caros que os de anos atrás. Se optar por um *tablet*, um celular ou outro aparelho eletrônico, dê o presente como um gesto de amor. Faça um esforço especial para embrulhá-lo com cuidado e torne-o uma ocasião única. Ao entregar o presente, diga algo como: "Amo você. Acho que já está na idade de ganhar um aparelho que lhe será útil. Vou ajudá-lo a entender as responsabilidades que o acompanham". Extraia o máximo que puder do lado emocional do presente para transmitir amor a seu filho.

Uma menina chamada Elizabeth, 6 anos, lembra-nos de que os presentes vêm de todas as formas e tamanhos. "Você conhece o homem do amor? Está logo ali", ela disse apontando para um senhor idoso. "Ele dá gomas de mascar para as crianças." Não é bom saber que não é preciso muito dinheiro para mostrar amor a uma criança?

Linguagem do amor nº 5: atos de serviço

Se servir for a principal linguagem do amor de seu filho, seus atos de serviço em relação a ele comunicarão de modo mais profundo que você o ama. Quando você conserta a corrente da bicicleta, remenda um vestido, embrulha o lanche ou ajuda no dever de casa, o tanque de amor de seu filho fica cheio. Ele sente que você o ama. Isso não significa que você deve atender rapidamente a qualquer pedido dele. Significa que deve ser sensível aos pedidos de seu filho e reconhecer que seu serviço significa muito para ele.

Você deve estar imaginando se seus filhos serão independentes e competentes se você os servir. Tenha em mente que os atos de serviço devem ser apropriados à idade. Você não alimenta uma criança de 5 anos com colher nem faz a cama de uma de 8 anos só porque atos de serviço são a linguagem do amor que elas preferem. À medida que as crianças crescem, devemos ensiná-las a servir a si mesmas e aos outros. Com o tempo, elas aprenderão a arrumar a mesa, lavar pratos, passar aspirador no chão e limpar os quartos.

Essas são habilidades que as crianças não aprendem *on-line*. É difícil servir e permitir que outros nos sirvam se estamos o tempo todo conectados digitalmente. O pai ou a mãe talvez ajude o filho no computador ou mostre à criança como carregar a bateria do celular, mas, fora isso, as oportunidades de compartilhar atos de serviço ficam limitadas com as telas.

Em minha estante (de Arlene), há uma pequena doninha, um bicho de pelúcia com um buraco que precisa ser costurado. Não sou costureira, o que explica por que o buraco continua lá há mais de duas semanas. Sinceramente, estou ocupada demais para cuidar daquela doninha em meio a tantas outras tarefas, como escrever, enviar *e-mails*, entrar nas redes sociais etc. Embora a tecnologia deva nos servir, muitas vezes nós é que servimos a ela, com pouco tempo de sobra no dia para atos de serviço, como costurar doninhas de pelúcia para as meninas.

Talvez você tenha passado por essa experiência em casa. Os atos de serviço são sacrificados em favor do tempo diante das telas. Em vez de atender a um pedido de seu filho para ajudá-lo a colocar um pôster no quarto ou encontrar uma caixa de giz de cera que sua filha perdeu, você está diante do computador. "Sinto muito, querido, não posso fazer isso agora. Mais tarde, tudo bem?" Depois de receber esse tipo de resposta dia após dia, seu filho poderá duvidar de seu amor por ele.

Por certo, educar os filhos é uma vocação orientada ao serviço desde o momento em que o bebê chega ao mundo chorando. O serviço a um filho é constante durante anos, por isso os pais esquecem que os atos de serviço diários e comuns que executam são, de fato, expressões de amor com efeitos de longo prazo. Não raro, os pais se sentem mais escravos que servos amorosos. No entanto, se assumirem essa atitude, comunicarão isso emocionalmente à criança, que sentirá que está recebendo pouco amor dos atos de serviço. As necessidades físicas de seu filho foram atendidas, mas seu desenvolvimento emocional será prejudicado. Até os melhores pais necessitam parar de vez em quando para refletir e verificar se seus atos de serviço estão comunicando amor.

Seus filhos precisam experimentar seus atos amorosos de serviço, para que aprendam por meio do exemplo a mostrar interesse pelos outros. Na família Chapman, no início da década de 1970, abríamos a casa toda sexta-feira à noite para alunos da faculdade. Abrigávamos de vinte a sessenta jovens. A programação era simples. Das oito às dez horas da noite, discutíamos assuntos relacionais, morais ou sociais, extraídos de uma passagem bíblica. Em seguida, havia momentos de lazer e conversa informal. À meia-noite, nós os despachávamos.

Nossos filhos, Shelley e Derek, eram pequenos na época e entravam e saíam das reuniões. Era comum ver um deles dormindo no colo de um aluno diante da lareira ou conversando com alguém. Os alunos eram nossa família estendida, e as crianças aguardavam com ansiedade as noites de sexta-feira. Em geral, no sábado de manhã, alguns alunos voltavam para pôr em prática os "Projetos de fazer o bem", como limpar o quintal de um senhor de idade ou outros serviços que precisavam ser feitos. Shelley e Derek sempre os acompanhavam naqueles projetos, embora pulassem sobre as folhas em vez de varrê-las.

Abrir as portas de casa para receber outras pessoas e incluir as crianças nos atos de serviço teve efeito profundo e positivo na vida delas. Faça o possível para que seus filhos aprendam a se sentir à vontade para servir aos outros. Eles não aprenderão isso por acaso ou *on-line*, mas sim ao ver o exemplo alegre de serviço dos pais.

Agora que você já conhece as cinco linguagens do amor, deve estar pensando: "Qual é a principal linguagem do amor de meu filho?". Sugerimos que você leia *As 5 linguagens do amor das crianças* e realize os testes disponíveis no livro.

Algumas crianças não se sentem amadas pelos pais — não porque eles não as amam, mas porque não estão recebendo amor suficiente na linguagem do amor específica de cada uma delas. Essas crianças tendem a ser apáticas e a se afastar das pessoas. No mundo de hoje, o lugar mais comum para esconder-se é diante do *tablet*, da televisão, dos *video games* ou do celular. A tecnologia em si não tem culpa; a tela é simplesmente o refúgio moderno da criança que não se sente amada pelos pais.

Cinco maneiras de trocar o tempo diante das telas por tempo de serviço

1. Ajude seu filho a praticar o esporte favorito, como bater faltas no futebol ou treinar saques no vôlei.
2. Acorde meia hora mais cedo para fazer um café da manhã surpresa para seus filhos.
3. Faça uma lista das atividades favoritas de seu filho longe das telas. De vez em quando, ponha uma delas em prática quando ele menos esperar.
4. Crie cartões com os temas da próxima prova de seu filho. Estudem juntos até que ele se sinta confiante com o material.
5. Ajude seu filho a consertar a bicicleta ou o brinquedo favorito. Esse tempo dedicado ao conserto comunicará amor à criança cuja linguagem do amor são atos de serviço.

Muitos pais gostam de ter aparelhos eletrônicos em casa porque não querem que os filhos fiquem tecnologicamente para trás. Contudo, talvez esses pais não estejam cientes de que a criança pode ficar para trás *emocionalmente*, com muitas desvantagens pessoais consideráveis. A criança poderá ficar para trás a ponto de nunca conseguir equiparar-se com as outras da mesma idade.

Quando você aprende a falar de maneira consistente as linguagens de amor a seu filho — toque físico, palavras de afirmação, tempo de qualidade, presentes e atos de serviço —, está proporcionando o estímulo intelectual e emocional de que ele tanto necessita para vencer na vida. O amor que você dedica a seu filho mostrará ao mundo que a linguagem do amor mais poderosa não é aquela falada pelos pixels ou postagens, mas pelos pais.

Para refletir

1. Toque físico: Você faz contato físico todos os dias com seu filho ao beijá-lo, abraçá-lo, sentar-se ao lado dele, brincar de luta etc.?
2. Palavras de afirmação: Qual foi a última vez que você elogiou seu filho por uma ação específica? O que disse?
3. Tempo de qualidade: Como você pode reservar tempo para seu filho durante o dia e, mesmo assim, realizar seu trabalho?
4. Presentes: Seu filho vive preocupado com coisas materiais? Ele lhe diz o tempo todo que deseja um aparelho eletrônico, como *tablets* ou *video games*?
5. Atos de serviço: Quais atos de serviço você tem realizado com frequência para seu filho?
6. Em sua opinião, qual é a principal linguagem de amor de seu filho? E a segunda mais importante?
7. Como você pode expressar essa linguagem a seu filho hoje?

11

O TEMPO DIANTE DAS TELAS E A SEGURANÇA

"Quem teme o SENHOR está seguro;
ele é refúgio para seus filhos."

PROVÉRBIOS 14.26

Amy e Bill fizeram o possível para criar um ambiente seguro *on-line* para sua filha Kendra, 10 anos. Limitaram o tempo diante das telas a duas horas por dia e proibiram aparelhos eletrônicos no quarto. Kendra usava o computador ou o celular nas áreas comuns da casa, como na mesa da cozinha ou na sala de estar. Depois de instalar filtros no computador e nos celulares, os pais de Kendra sentiram-se seguros quanto ao tempo da filha diante das telas.

No entanto, eles desconheciam o gosto cada vez maior de Kendra por uma famosa rede social para crianças. Ela acessava essa rede para jogar *on-line*, bater papo com amigas e ler o *blog* da moda. Embora o *site* fosse comercializado como sendo seguro para crianças, ela estava vendo *trailers* de filmes recomendados para crianças com idade acima da sua e, na sala de bate-papo, lendo respostas a perguntas do tipo "Como vou saber se ele gosta de mim?". Kendra começou a se preocupar mais com a aparência e com o fato de que, aparentemente, nenhum garoto da escola gostava dela. Estava recebendo influência dos comentários de outras crianças que ela lia *on-line*, e os pais não sabiam de nada disso.

Kendra usa uma rede social apropriada para crianças de 9 a 16 anos, e, como você pode imaginar, há uma diferença enorme entre essas idades em termos de desenvolvimento. O que é apropriado para um adolescente de 16 anos não é saudável para uma criança de 10 anos como Kendra.

Regras a respeito do uso de aparelhos eletrônicos são certamente úteis e necessárias, porém há algo mais valioso para a segurança de seu filho, que envolve a participação ativa dos pais na educação e no uso desses aparelhos, bem como o compromisso de moldar o caráter de seu filho.

Coração à prova de *bullying*

Quando os pais pensam em segurança na internet, concentram-se em pedofilia, contatos com estranhos e outras histórias cibernéticas de horror. Talvez isso se deva ao fato de as tragédias nos forçarem a prestar atenção ao uso que nossos filhos fazem dos meios digitais. Como exemplo, citamos a história de uma menina de 12 anos que saltou para a morte da torre de cimento de uma fábrica abandonada. Duas garotas, de 12 e 14 anos, foram presas sob a acusação de terem ridicularizado essa menina e feito *bullying* com ela, postando frases como: "Beba água sanitária e morra".[1]

Histórias como essa são de partir o coração e servem para despertar os pais, a fim de que levem o *bullying* cibernético a sério. Os pais precisam alertar os filhos sobre o perigo de ter contato com estranhos, porém é mais provável que o dano causado a uma criança *on-line* venha de alguém que ela conhece. *Bullying* cibernético é usar as mídias digitais para transmitir informações falsas, hostis ou constrangedoras a respeito de uma pessoa. É o risco *on-line* mais comum para pré-adolescentes e adolescentes. Pode acontecer com qualquer garoto ou garota e causar sérios problemas de depressão, ansiedade e profundo isolamento.

De acordo com uma pesquisa de âmbito nacional feita com alunos do 4º ao 8º ano:

- 42% sofreram *bullying* enquanto estavam *on-line* (um em cada quatro passou por essa experiência mais de uma vez).
- 35% sofreram ameaças *on-line* (cerca de um em cinco sofreu ameaças mais de uma vez).
- 21% receberam *e-mails* ou outros tipos de mensagens contendo palavras maldosas ou ameaçadoras.
- 53% admitiram ter enviado textos *on-line* com palavras maldosas ou ofensivas a outra pessoa.
- 58% não contaram aos pais nem a um adulto sobre as ofensas que receberam *on-line*.[2]

De acordo com Parry Aftab, diretor-executivo da WiredSafety.org, o *bulllying* cibernético começa no 2º ano, quando as crianças usam mensagens de texto e interagem em redes sociais de forma precoce.

> Hoje em dia, começa aos 6 ou 7 anos. Em geral, tende a piorar por volta dos 14. Depois disso, pode haver perseguição e ofensas, mas tende a ir mais para o lado sexual; alguém termina o namoro com uma garota ou garoto e faz dela ou dele um alvo porque se sente infeliz.[3]

Crianças se divertirem à custa de outras e dizer palavras ofensivas não é nenhuma novidade. A tecnologia, porém, pode ampliar e espalhar um comentário ofensivo capaz de prejudicar e assustar uma criança como nunca antes. As crianças pequenas não estão preparadas emocionalmente para lidar com golpes digitais à sua autoestima. Hoje elas postam segredos umas das outras, furtam senhas, atacam alguém fingindo ser outra pessoa e tiram fotos impróprias para compartilhar *on-line* e provocar constrangimento.

Como pais, somos responsáveis por cuidar da saúde emocional e mental de nossos filhos. Não podemos lavar as mãos e dizer: "Não entendo essa tecnologia moderna". É o mesmo que permitir que uma criança corra sozinha dentro de um *shopping* lotado só porque não conseguimos decifrar o mapa das lojas. Precisamos conhecer o mundo digital e nos sentir à vontade nele para orientar nossos filhos quanto à segurança e às devidas informações neste moderno parque de diversões digital.

Toda criança precisa desenvolver habilidades de relacionamento, para que trate as pessoas como dignas de respeito e seja capaz de fazer amizades saudáveis e positivas, tanto face a face como *on-line*. A criança que não possui habilidades relacionais básicas pode tornar-se agressiva, controladora e cruel, sem nenhuma empatia pelos outros. Ou pode tornar-se uma vítima de *bullying* que não sabe pedir socorro. Você poderá ajudar seu filho a ter um coração à prova de *bullying* ao seguir estas orientações:

- Seu filho deve relatar qualquer incidente de *bullying* cibernético a você (mãe e pai).
- Seu filho deve bloquear pessoas agressivas e não responder a seus comentários.

- Converse com seu filho a respeito dos perigos de ofender outras pessoas *on-line*.
- Ensine seu filho a nunca postar nada que ele não gostaria que você ou a professora dele visse.
- Mencione cinco coisas positivas que você aprecia em seu filho, se ele receber um comentário ofensivo.
- Supervisione constantemente o tempo que seu filho passa *on-line*.

Se for seu filho quem estiver praticando *bullying*, faça que ele saiba que você não irá condená-lo. Talvez ele se sinta culpado pelo que fez e não volte a expressar seus sentimentos, principalmente se for submisso à autoridade dos pais. Instruir consiste, entre outras coisas, em fazer que o filho saiba que você o aceita como pessoa e que sempre gostará de saber como ele se sente, se está feliz, triste ou zangado. A partir desse lugar de amor incondicional, você poderá ajudá-lo a corrigir o comportamento no futuro.

Predadores, privacidade e pornografia

Em 1996, a divisão de crimes cibernéticos do Departamento de Justiça dos Estados Unidos abriu 113 processos por exploração sexual infantil na internet. Durante o ano de 2007, o número de processos chegou a 20.200.[4] Esse crime terrível cometido contra crianças tem crescido exponencialmente ao longo dos anos. Como pais, precisamos agir com sabedoria e tomar conhecimento do comportamento dos predadores sexuais, a fim de saber o que nós e nossos filhos devemos evitar *on-line*. As salas de bate-papo para crianças, além de problemáticas por causa do *bullying* cibernético, são um ninho próprio para predadores. Explique a seu filho que as pessoas nas salas de bate-papo talvez não sejam quem aparentam ser. Alguém que se passe por uma garota de 13 anos pode ser, na verdade, um homem de 40. Nem sempre o que está escrito *on-line* é verdade.

De acordo com Peter Brust, agente especial do FBI, os predadores sexuais costumam compilar listas de amigos em vários discos rígidos e computadores. Chegam a ter mais de mil amigos listados e catalogados. Sabem a que horas estão *on-line* à noite e do que gostam. "Estou surpreso com o número de vezes que fiz apresentações em escolas ou para grupos de pais e ouvi-os dizer: 'Nunca pensei que meu filho fizesse parte dessa rede social ou que seu nome ou perfil aparecesse na tela'", disse ele.[5]

Nas entrevistas feitas pelo agente Brust com vítimas e não vítimas adolescentes, as não vítimas têm um ponto em comum: são mais esclarecidas a respeito das questões de segurança da internet e valorizam a própria privacidade. Por outro lado, quase todas as vítimas adolescentes buscam informações sobre sexo; elas procuram romance e conexão. Os predadores aproveitam-se disso. Usando conversas *on-line*, eles aparentam ser pessoas confiáveis até, finalmente, ter um encontro na vida real com o adolescente.

Sobre privacidade

Os *sites* e aplicativos móveis coletam quantidade significativa de informações pessoais das crianças. Quando as crianças são solicitadas a se registrar num *site* para jogar *on-line*, ler uma postagem num *blog* ou participar de uma competição, precisam incluir nome, endereço ou cidade, data de nascimento e atividades ou produtos comerciais favoritos. Essas informações poderão ser usadas para criar listas de clientes vendidas a empresas.

Ensine seus filhos mais velhos a ler as declarações de política de privacidade nos *sites* e aplicativos que estão visitando. Veja que informações são coletadas e em que serão usadas. Você também pode procurar o "selo de aprovação" de privacidade na página inicial. Para exibir um logotipo legítimo, os participantes precisam concordar em divulgar suas políticas de privacidade e submetê-las a uma auditoria.

As redes sociais, em geral, só aceitam inscrições de crianças de 13 anos para cima. O Children's Online Privacy Protection Act [Estatuto de proteção de privacidade *on-line* para crianças] proíbe os *sites* de obter informações pessoais de menores de idade. No entanto, conforme você deve saber por experiência própria ou de amigos, muitas crianças mentem a idade, e há mais de 7,5 milhões de menores de idade inscritos nas redes.[6]

Se, por exemplo, seu filho de 10 anos deseja fazer parte do Facebook com seus colegas e com a vovó, que mal há nisso? Deveria ser uma preocupação para você? Em primeiro lugar, há o problema de mentir sobre a idade. Se você ajudar seu filho a se inscrever no *site*, o que isso comunicará a respeito de dizer a verdade? E, se ele o fizer sem sua permissão, isso enfraquecerá sua autoridade. Em segundo lugar, há o problema de pessoas estranhas tomando conhecimento dos dados pessoais de seu filho. Quando ele tiver 18 anos e tornar-se adulto de acordo com seus registros no Facebook (quando na realidade ele tem apenas 15 anos), os estranhos poderão ver a foto dele e sua lista de amigos.

No Instagram, qualquer um poderá ver as fotos que você postou, a menos que proteja todos os seus dados (desse modo, somente seu círculo de amigos e seguidores poderá ver as fotos). Quando você posta uma foto, a localização geográfica da foto pode ser facilmente compartilhada, portanto tenha certeza de que seus filhos estejam sempre com essa opção desligada.

Snapchat é um aplicativo que permite ao usuário tirar uma foto e compartilhá-la por no máximo dez segundos. Depois disso, ela desaparece e fica permanentemente deletada. Esse aplicativo destinado a adolescentes é um veículo perfeito para *sexting*, a prática cada vez mais comum de enviar mensagens de texto, fotos ou vídeos sexualmente sugestivos. Embora a foto do Snapchat desapareça, quem a recebeu pode tirar uma foto da tela ou uma foto da foto. Se seu filho enviar uma foto imprópria por achar que ela desaparecerá em dez segundos, talvez ele venha a ter problema quando a imagem for armazenada e talvez compartilhada com outras pessoas.

Nesta era digital, a privacidade precisa ser guardada vigilantemente pelos pais. Muitas crianças e pré-adolescentes ainda não dispõem de sabedoria para entender o valor da privacidade.

Sobre pornografia

É mais fácil que nunca encontrar pornografia. A época em que as pessoas iam a uma parte obscura da cidade para procurar uma banca de revistas para adultos não existe há muito tempo. A pornografia está disponível em inúmeros aparelhos que usamos no dia a dia — celulares, computadores e *tablets*. Considere estas tristes estatísticas:

- 12% dos *sites* na internet são pornográficos.
- Um em cada três espectadores é mulher.

- 70% dos homens entre 18 e 24 anos visitam *sites* pornográficos ao longo de um mês.
- 34% dos usuários da internet viram pornografia sem querer, por meio de anúncios, *links* mal direcionados ou *e-mails*.
- A média de idade das crianças que veem pornografia é de 11 anos.[7]

A criança pode clicar por curiosidade ou acidentalmente num *link* enquanto faz uma pesquisa num *site* de busca. Mesmo com um bom filtro de computador, as crianças encontram uma forma de acessar pornografia, como por meio do Peer-to-Peer Networking (P2P), um aplicativo que roda em seu computador e permite que você compartilhe arquivos com outros usuários do P2P. Cerca de 35% dos *downloads* de P2P são pornográficos. Quando deparam com pornografia na internet, as crianças geralmente encontram fotografias. Só se consegue pornografia explícita se for comprada com cartão de crédito. Com o P2P, contudo, as crianças podem ver filmes extremamente pornográficos que não podem ser bloqueados pelo filtro da internet. Para evitar que isso aconteça, verifique seus computadores com frequência para ver se ninguém baixou um arquivo de redes de compartilhamento P2P, como BitTorrent, Bearshare ou Limewire.

Se a criança vir pornografia uma vez, provavelmente isso não terá efeito de longo prazo na vida dela, mas, se vir pornografia com regularidade, haverá consequências. Quanto mais explícita for, mais destrutiva será para a mente e o coração de seu filho. A pornografia desinforma as crianças e confunde-as quanto à sexualidade humana. Há desvalorização das mulheres, exaltação do corpo "perfeito" e criação de falsas expectativas que serão transportadas para futuros relacionamentos. As crianças veem pornografia em segredo, o que é desrespeitoso com os pais e vergonhoso para a criança.

Antes que a criança depare com material pornográfico, é imprescindível que os pais estejam dispostos a conversar com os filhos sobre sexualidade. Explique a seu filho as diferenças entre machos e fêmeas. Usando desenhos apropriados, mostre como é o corpo do homem e o da mulher. Tenham uma conversa franca sobre o que acontecerá com o corpo de seu filho quando ele entrar na adolescência. A explicação desses fatos antes que aconteçam ajudará seu filho a entender que sexualidade não é um assunto proibido.

Converse com seu filho sobre Adão e Eva e por que Deus os vestiu. Depois, fale sobre a pornografia e por que ela transgride a decência. Explique que um dia algumas fotos de pessoas nuas ou seminuas aparecerão na tela. Quando isso acontecer, instrua seu filho a fechar aquela página imediatamente e contar a você o que viu.

Sugerimos que você tenha várias conversas curtas sobre sexualidade e pornografia, para que não se transforme numa conversa longa e entediante a ponto de seu filho se perguntar: "Quando isso vai terminar?". Lembre-se de abordar o assunto cada vez com mais frequência, à medida que seu filho entrar na pré-adolescência e na adolescência. Seus filhos necessitam de orientação para entender como o corpo deles funciona e como lidar com a sexualidade.

Estabeleça regras na família sobre a pornografia. Diga às crianças quais serão as consequências se você os pegar vendo pornografia. Imponha limites sempre com a voz calma e o coração brando. É embaraçoso admitir o uso da pornografia, então, se a criança sentir que será humilhada pelo pai ou pela mãe, ela poderá esforçar-se para manter isso em segredo.

Se descobrir que seu filho está vendo pornografia com frequência e não consegue parar, procure um terapeuta para afastá-lo desse comportamento prejudicial. Não permita que seu filho cresça vendo pornografia. Os efeitos negativos poderão causar impacto na vida adulta dele.

Lar, seguro lar

Apesar das armadilhas da internet, a tecnologia tem suas vantagens. Ava, 7 anos, tinha um largo sorriso no rosto quando sua mãe foi buscá-la na escola. Ela teria um encontro via Skype com o pai depois do jantar naquela noite. O pai de Ava havia sido deslocado para outra área militar por seis meses, e os encontros via Skype ajudavam a manter a família conectada. Poucas semanas antes, Ava não conseguiu fazer o dever de casa de matemática e seu pai a ajudou a solucionar o problema, embora estivesse a milhares de quilômetros de distância.

— Oi, papai! — Ava disse em voz alta, balançando os braços para frente e para trás na tela. — Veja! — exclamou, separando os lábios com os dedos. — Perdi um dente!

— Uau! — o pai de Ava replicou, rindo. — Veja os meus dentes. Ainda tenho todos. Não perdi nenhum!

Anos atrás, teria sido impossível para o pai de Ava falar com ela em tempo real e ver o espaço onde antes havia um dente. Agora, a chamada por vídeo possibilita que as famílias permaneçam em contato mesmo quando estão geograficamente separadas. Essa conexão com os entes queridos pode fazer a criança se sentir segura e amada.

Como você pode usar a tecnologia em casa a fim de promover o senso de segurança para seu filho? Enquanto pensa em criar um "Lar, seguro lar" virtual, você pode fazer algumas perguntas esclarecedoras a respeito de como sua família usa os aparelhos eletrônicos:

- Usamos a tecnologia para nos aproximarmos como família? Se sim, como?
- A tecnologia fortaleceu ou enfraqueceu o relacionamento entre pais e filhos?
- O tempo diante das telas em casa está promovendo aprendizado e valores positivos?
- Meus filhos estão aprendendo palavras e atitudes ruins depois de ver algo nas telas?

O lar deve ser um lugar de segurança para os filhos, um ambiente acolhedor e amoroso. O lar não deve ser um lugar onde cada indivíduo se refugia diante de uma tela para se encher de notícias da política ou se entreter. No mundo digital de hoje, é preciso pensar no papel que os aparelhos eletrônicos exercem no lar. Uma casa sem aparelhos eletrônicos talvez seja algo irreal, mas que tal uma casa segura e dinâmica com a presença deles?

Uma boa regra é manter toda a mídia eletrônica fora do quarto das crianças, principalmente das menores. Você não sabe o que se passa depois que a porta é fechada e as luzes são apagadas. O tempo diante das telas no quarto das crianças antes da hora de dormir pode interromper os ciclos saudáveis do sono, sem mencionar que, na falta de supervisão, elas têm livre acesso a conteúdos questionáveis.

A realidade, contudo, é que hoje muitas crianças possuem computador no quarto. Pesquisas indicam que 71%

das crianças entre 8 e 18 anos têm um aparelho de televisão no quarto.[8] Um dos motivos é a conveniência. Se os adultos querem ver um programa e as crianças querem ver outro, por que não permitir que vejam no quarto? Não é mais necessário revezar e sacrificar-se pelos outros. Os avanços na tecnologia permitem que todos possuam o que querem e quando querem. As preferências individuais, tanto para pais como para filhos, passaram a ser prioridade.

Podemos até ganhar conveniência com os múltiplos aparelhos eletrônicos, mas estamos perdendo oportunidades de estreitar os laços como faziam as famílias de antigamente, que se reuniam diante da televisão para ver o mesmo programa. É essa união que desejamos, não a mera nostalgia de uma época diferente. Não queremos voltar aos tempos da televisão em branco e preto da década de 1950 — e a maioria de nós é grata por isso. A tecnologia proporciona a nossos filhos o acesso a todos os tipos de informações, boas e más. Cabe aos pais orientá-los sobre os aspectos positivos da tecnologia e, ao mesmo tempo, minimizar os riscos.

O computador ou *tablet* da família deve ficar em local aberto para que todos possam ver. Muitas famílias recolhem todos os aparelhos eletrônicos à noite; colocam os celulares, os *tablets* e os equipamentos de *video game* numa caixa guardada no quarto dos pais. O horário noturno é um tempo lógico para ninguém ter acesso a celulares e outros aparelhos eletrônicos. Pode haver exceções; por exemplo, se o índice de criminalidade aumentou na vizinhança, talvez você queira que seu filho tenha um celular perto da cama.

Além de controlar *onde* os aparelhos eletrônicos devem ficar em sua casa, você precisa manter a segurança na internet, filtrando *o que* pode ser visto. *Softwares* de segurança na internet protegem sua família de conteúdos prejudiciais bloqueando *sites*, vídeos, músicas, mensagens instantâneas e redes sociais questionáveis. Alguns sistemas permitem que os pais escolham previamente algumas categorias, e outros fornecem uma lista de *sites* que os pais podem adicionar ou remover. A lista negra filtra *sites* baseados em categorias como sexo explícito ou violência chocante. Em geral, os filtros fazem uma varredura de endereços eletrônicos, palavras-chave no *site* e palavras-chave nas buscas. Você também pode usar uma "lista branca" com os *sites* aprovados, os únicos que seu filho pode acessar *on-line*.

Instalar filtros em computadores e celulares é uma prática recomendável, mas isso sem dúvida não garante que seu filho não verá algo impróprio. Algumas crianças inevitavelmente depararão com conteúdos sexuais ou violentos, enquanto outras buscarão isso deliberadamente. A criança que está determinada a ver algo que lhe foi proibido pode encontrar um meio de burlar os filtros e sistemas de monitoramento.

Não tenha uma falsa sensação de segurança simplesmente por ter instalado um sistema de segurança de primeira linha na internet. Em vez de confiar na tecnologia para salvaguardar o que seu filho vê na internet, tome a atitude de supervisioná-lo e instruí-lo constantemente a respeito da segurança digital. No fim das contas, o melhor filtro para a criança são os olhos e os ouvidos dela, conforme seus pais lhe ensinam o que é bom e o que é prejudicial nas telas e *on-line*.

Mas todo mundo tem um celular

Muitos alunos do 5º e do 6º ano da escola de meus filhos (de Arlene) possuem aparelhos celulares semelhantes ao meu.

Provavelmente você conhece crianças dessa idade ou mais novas que possuem celular. Então, qual é a idade ideal para ter um aparelho? As circunstâncias de cada criança e família diferem, de modo que não existe uma idade mágica para responder a essa pergunta. No entanto, as crianças do ensino fundamental não necessitam ter acesso à internet em seus celulares. Dar a uma criança a responsabilidade de navegar com segurança na internet é uma expectativa irreal. É como deixá-la sozinha numa rua cheia de bancas de revistas só para adultos e traficantes de drogas e esperar que ela não se meta em confusão.

Se quiser dar um celular a seu filho, escolha um modelo básico, sem a função de enviar fotos e sem acesso à internet. Certifique-se de que o celular seja usado por motivos de segurança e monitore o uso que seu filho faz dele. Alguns aparelhos têm a opção de inatividade durante a noite. Os pais devem também mostrar a conta mensal do celular ao filho para que ele entenda que o serviço não é gratuito. Assim, a criança pode começar a aprender responsabilidade financeira e ser grata pelos aparelhos que os pais lhe proporcionam.

No primeiro mês de uso do celular, é recomendável que o filho o utilize exclusivamente para ligar para a mãe ou o pai. No segundo mês, ele poderá ligar para um ou dois amigos confiáveis. A liberdade gradativa ajuda os pais a controlar como o filho se conduz quando tem essa liberdade. Você pode elaborar um contrato para o uso do celular desde o início, a fim de que as expectativas sejam claramente comunicadas e não haja surpresas. O contrato pode incluir as seguintes "cláusulas":

- Não fornecerei o número de meu celular a ninguém sem antes falar com meus pais.
- Não entrarei com o celular na sala de aula se for proibido.

- Sempre atenderei às ligações de meus pais. Se estiver na sala de aula, darei retorno assim que puder.
- Não pagarei nenhuma despesa acima e além da estipulada mensalmente.

Jackson e Connor, ambos de 11 anos, são amigos desde o jardim de infância. Cresceram juntos e brincavam ora na casa de um, ora na casa de outro. Recentemente, Connor ganhou um celular com acesso à internet. Os dois amigos revezavam-se no aparelho para jogar *on-line* na casa de Connor. A mãe de Jackson começou a preocupar-se com a facilidade com que o filho tinha acesso à internet. Mas sabia que seria impossível controlar os meninos o tempo todo.

O que você pode fazer para manter a segurança de seu filho quando ele brinca com outras crianças? Você não pode impor suas regras do uso de aparelhos eletrônicos a outra família. Eis algumas orientações quanto ao tempo de exposição diante das telas com os amigos:

Diferencie o que é importante e o que não é. Pergunte a si mesmo: "Este assunto será importante daqui a uma semana?". Se seu filho estiver vendo pornografia na casa de alguém, a resposta será sempre "sim". Se, porém, estiver jogando um *video game* não violento durante trinta minutos, provavelmente a resposta será "não". É o mesmo que comer alimentos prejudiciais à saúde na casa de alguém; se ele come alimentos saudáveis em casa, uma barra de chocolate na casa de um amigo não lhe fará mal.

Procure conhecer a outra família. Reserve tempo para fazer amizade com os pais dos amigos de seus filhos. Não tenha medo de perguntar: "Que programas de televisão e que tipos de jogos vocês permitem em sua casa? Vocês controlam o que os meninos veem?". Essas perguntas não são grosseiras; é sua responsabilidade criar limites seguros para seu filho, mesmo fora de casa.

Simule ingenuidade. Se não quiser dar a impressão de superioridade ou de crítico por fazer muitas perguntas, diga aos pais do outro garoto que você é superprotetor. É mais elegante criticar a si mesmo ("Perdoe-me por ser um pai exageradamente cuidadoso") do que constranger pais mais lenientes.

Se constatar que os valores de sua família em relação ao tempo diante das telas não são compatíveis com os da outra família, é recomendável manter seu filho distante daquele amigo depois das aulas. Cada família tem o direito de ter os próprios valores. Não é questão de considerar seu filho bom demais para o outro menino, mas de protegê-lo. É sua a responsabilidade de filtrar o que entra no coração e na mente de seu filho através dos olhos e ouvidos dele. Não há sistema de segurança na internet que substitua um pai ou uma mãe presente.

Acordo da família quanto à segurança na internet

Comece com o seguinte compromisso e modifique-o para adaptar-se às necessidades de sua família:

- Nunca fornecerei informações pessoais, como sobrenome, endereço ou número de telefone.
- Não informarei o nome de minha escola, cidade ou local de trabalho de meus pais.
- Não informarei minhas senhas a ninguém.
- Obedecerei aos limites de tempo estabelecidos por minha família.

- Permitirei que meus pais verifiquem meu histórico na internet quando julgarem necessário.
- Só vou interagir *on-line* com pessoas que conheço na vida real.
- Contarei imediatamente a meus pais se vir algo que me deixe constrangido ou se alguém pedir para me conhecer.
- Não clicarei numa página que diga: "Só para maiores de 18 anos".
- Não farei *downloads* de fotografias ou arquivos sem o conhecimento de meus pais.
- Não enviarei a ninguém fotos *on-line* de mim mesmo ou de minha família sem a permissão de meus pais.
- Não direi nada *on-line* que não diria pessoalmente.

Para refletir

1. Você já teve experiência com *bullying* cibernético ou conhece alguém que teve?
2. Reflita sobre seu plano para falar sobre pornografia com seu filho na idade apropriada. O que você acha importante dizer? Como pode controlar melhor os aparelhos eletrônicos de seu filho?
3. Você ensinou a seu filho o valor da privacidade e de não revelar fatos pessoais *on-line*? Como pode falar da importância disso de forma que ele entenda?
4. O tempo que seu filho passa diante das telas promove aprendizado e valores positivos?
5. Você usa um filtro na internet ou planeja fazer isso no futuro?
6. Qual seria a idade ideal para seu filho ter um celular? Por quê?
7. Se seu filho já tem idade suficiente para entender, leia com ele o "Acordo da família quanto à segurança na internet", na página 189.

12

O TEMPO DIANTE DAS TELAS E A AUTORIDADE DOS PAIS

"Regras sem diálogo resultam em rebeldia."

JOSH MCDOWELL

James, meu marido (de Arlene), estava no parque quando viu um pai com os dois filhos andando de bicicleta pela rua sem capacete. As crianças tinham mais ou menos a idade de nossos filhos, cerca de 5 e 7 anos na época. Quando as crianças pararam para brincar no parquinho, James puxou conversa com o pai e perguntou:

— Por que seus filhos não usam capacete para bicicleta?

— Não consigo obrigá-los a usar — ele respondeu com um suspiro. — Recusam-se a andar de bicicleta se tiverem de usar capacete.

James ficou pasmo. Somos fãs incondicionais de andar de bicicleta com segurança por um motivo muito pessoal. Quando nosso filho, Ethan, estava voltando para casa de bicicleta depois das aulas no 2º ano, ele não parou num farol na vizinhança. Ao fazer uma curva aberta para a direita, colidiu com um carro no sentido contrário. Foi provavelmente o momento mais assustador da vida de James, que virou a mesma esquina em sua bicicleta e viu Ethan caído na rua. Nosso filho foi levado de ambulância a um hospital pediátrico. A bicicleta foi totalmente destruída e o capacete ficou amassado em alguns lugares, mas Ethan saiu aquela noite do hospital com apenas algumas escoriações.

O acidente teria sido trágico se Ethan não estivesse usando capacete. James contou essa história àquele pai no parque, na esperança de que ele se sentisse motivado a fazer os filhos usar o capacete. Infelizmente, algumas semanas depois ele viu os dois andando de bicicleta no parque — sem capacete.

O que impede um pai ou uma mãe de forçar o filho a fazer algo essencial para a segurança dele? Infelizmente, vivemos numa cultura na qual é cada vez mais comum os filhos assumirem o papel de autoridade dos pais. De alguma forma, os adultos fazem todas as vontades de garotinhas de rabo de cavalo e de garotinhos zangados e frustrados. No entanto, cabe *aos pais* a responsabilidade de educar os filhos, não o contrário. Os adultos são mais velhos e mais sábios. Em nossa cultura, sabemos o que as crianças precisam entender até chegarem aos 18 anos. É nossa tarefa educá-las de tal forma que, chegando à idade adulta, elas tenham a bagagem necessária para ser bem-sucedidas na vida.

A missão dos pais não pode ser passada adiante. A responsabilidade de criar seu filho não pode ser transferida para a escola, para o governo, para uma organização religiosa nem para o responsável pela creche. Embora o envolvimento da comunidade seja importante, seu filho necessita de você como seu professor principal em cada uma das etapas iniciais da vida.

O famoso humorista e ator Bill Cosby foi entrevistado a respeito de seu programa de televisão *The Cosby Show*.

Extraído de sua experiência de vida, o programa de muito sucesso retratava a autoridade e o exemplo dos pais de um modo que praticamente não existe mais na televisão de hoje. "Baseei a série em dois aspectos importantes", disse Cosby. "Número um [...]: eu odiava aquelas séries nas quais as crianças eram mais inteligentes que os pais e os pais tinham de fazer o papel de bobos. Número dois: eu queria voltar a assumir o controle da casa."[1]

Você precisa "voltar a assumir o controle da casa"? Os pais de hoje cedem aos caprichos dos filhos como se estivessem num concurso de popularidade. Queremos que nossos filhos gostem de nós e temos medo de estragar nosso relacionamento com eles. Ou simplesmente não sabemos lidar com acessos de raiva, lágrimas e outras birras das crianças. É importante lembrar que você é o pai ou a mãe, não o amigo ou a amiga, de seu filho. É claro que você quer agir de modo amistoso e falar as linguagens do amor de seu filho, mas também precisa exercer autoridade. Seu filho terá dezenas e dezenas de amigos ao longo da vida, mas apenas uma mãe e um pai.

Rod, pai de duas meninas de 7 e 9 anos, entrou na sala de estar de sua casa. As meninas estavam sentadas no sofá com as pernas cruzadas, uma enviando mensagens de texto no celular e a outra jogando *video game*. A televisão estava ligada num programa de humor para pré-adolescentes. Nenhuma delas parecia estar olhando para o aparelho, então Rod mudou para um canal de esportes. As meninas ergueram a cabeça e protestaram: "Ei, estávamos vendo aquele programa!".

Mais tarde, Rod postou este comentário em uma rede social: "Parece que minhas filhas pensam que, se estiverem sentadas na frente da televisão, têm direitos sobre o aparelho, mesmo que não estejam vendo nada. Em meu mundo, elas não estão vendo televisão. Estão ocupadas no computador ou no celular. Estou errado?".

Rod talvez esteja fazendo uma pesquisa informal sobre o papel dos pais, mas, seja qual for a conclusão geral, os pais devem ter autoridade para decidir o que está sendo visto e por quem. Sem uma clara liderança, porém, a criança de hoje acha-se no direito de escolher o que lhe agrada mais.

Um mundo diferente

Os pais precisam, mais que nunca, instruir e corrigir os filhos, além de ser exemplo positivo no tempo de uso dos aparelhos eletrônicos, mesmo que este mundo digital pareça um território desconhecido. Vivemos numa nova era, em que as crianças já nasceram no mundo digital e muitos pais são imigrantes digitais. Em outras palavras, muitas crianças sabem mais sobre tecnologia que os pais, e essa situação difere bastante de como o mundo funcionava centenas de anos atrás.

Durante a era da imprensa, os pais podiam ler e ter acesso a informações que os filhos não podiam acessar. Isso colocava os adultos numa situação elevada e delineava claramente a infância. Então, a mídia televisiva permitiu que as crianças espreitassem o mundo dos adultos, um mundo que antigamente permanecia escondido em livros inacessíveis a elas.

Agora, as posições mudaram radicalmente. Os pais esforçam-se para entender a vida *on-line* das crianças e adolescentes, pedindo-lhes orientação sobre tudo, desde senhas até mensagens de texto. Os aplicativos ensinam seu filho a fazer contas matemáticas ou a falar outro idioma. É fácil para o pai ou a mãe recuar e permitir que o celular se torne o tutor de seu filho. As crianças podem ter mais noção digital que os pais, mas ainda necessitam de uma figura de autoridade para orientá-las.

Se você possui um *tablet*, talvez esteja pensando: "Este *tablet* é meu ou de meu filho? Ele o usa mais que eu!". As crianças se beneficiam dos caros aparelhos eletrônicos dos pais. A linha divisória entre as crianças e os adultos começa a se apagar. Pais e filhos estão usando os mesmos aparelhos e tendo acesso aos mesmos benefícios e perigos da internet. Com as mensagens de texto, as crianças têm vida social *on-line* muito semelhante à dos adultos. Às vezes elas mergulham mais na tecnologia que os pais.

Não abra mão de sua influência como pai ou mãe só porque não entende o aplicativo da moda. Aprenda como funcionam os aparelhos eletrônicos e as redes sociais que seus filhos usam. Peça ajuda a outros pais ou faça um curso para aprender o básico. Não fique para trás enquanto seu filho viaja sozinho por um mundo virtual que evolui rapidamente. Sem a autoridade dos pais, os *sites* de busca tornam-se a resposta para as perguntas da vida.

Avalie a vida digital de sua família

Vivemos num mundo não apenas multicultural, mas também numa geração multimoral. As pessoas têm ideias totalmente diferentes a respeito do que é certo e errado. Muitos padrões morais aceitos durante séculos estão sendo questionados. O entretenimento nas telas com frequência contradiz os princípios morais que tentamos incutir em nossos filhos. Mas não somos responsáveis pelo que os outros fazem ou criam; somos responsáveis por nossa família. Os pais têm a liberdade e o direito de decidir o que os filhos estão autorizados a ver.

Se você já assistiu a jogos de futebol com crianças pequenas a seu lado, deve ter ficado abismado com a sexualidade dos comerciais durante o intervalo. Infelizmente, esse tipo de programação é o que muitos adolescentes veem hoje. Se não formos cuidadosos, nossos filhos tomarão conhecimento cedo demais de conteúdos adultos e vulgares. Como pai ou mãe, assuma a responsabilidade de avaliar tudo o que seus filhos trazem para casa. Que música ouvem? O que veem na televisão ou na internet?

Para prevenir seu filho dessa decadência moral, ajude-o a fazer escolhas sábias. Depois de assistir a um programa, conversem sobre os valores que foram promovidos ali. Aprenda as letras das canções favoritas de seus filhos e observe se não contêm vulgaridades. Com o tempo, à medida que seu filho entrar na adolescência, você passará mais tempo ouvindo a opinião dele e discutindo com ele suas escolhas. Mas, enquanto ele for pequeno, estabeleça regras do que é ou não é aceitável.

Às vezes é preciso nadar contra a corrente para proteger os valores da família. Quando você não permite que seu filho veja um filme que outras crianças veem, não significa que as outras famílias sejam perniciosas. Significa que, no seu entender, aquele filme não é recomendável para seu filho. Assim como você dá aos outros pais a liberdade de decidir o que é melhor para o filho deles, aceite você também essa liberdade sem culpa. Não ceda a pressões nem tome decisões apenas para não ofender os outros. Em vez disso, avalie o tempo de seu filho diante das telas fazendo estas três perguntas:

- *Atitude:* Qual é a atitude de meu filho depois de passar tempo diante da tela?
- *Comportamento:* Como o conteúdo encoraja meu filho a comportar-se?

- *Caráter:* Que traços de caráter estão sendo modelados e assimilados?

Faça uma pausa agora mesmo para avaliar os hábitos digitais de seu filho. O tempo diante das telas está afetando a atitude, o comportamento ou o caráter dele? Você está satisfeito com o conteúdo e a quantidade de tempo que ele passa diante das telas todos os dias?

Brooke é mãe de duas filhas, de 11 e 13 anos. Ela e o marido não estabeleceram regras para o tempo diante das telas, porém tentam fazer as filhas verem programas apropriados para a idade. Em geral, as meninas veem três horas de televisão nos dias de aula e até seis horas nos sábados e domingos.

"Estou preocupada com a quantidade de tempo que as meninas passam diante de uma tela eletrônica", Brooke disse. "Parece que estão mais respondonas e relutantes em sair com a família. Tentamos mudar as regras da família, e elas não gostaram. Acabamos relaxando um pouco as regras."

Brooke e o marido estão infelizes com a influência dos aparelhos eletrônicos na atitude e no comportamento das meninas, mas não querem promover mudanças impopulares. Lembre-se, porém, de que a missão do pai ou da mãe tem pouco a ver com ser popular. Pelo contrário, exige coragem e pulso firme para mudar as regras do tempo diante das telas sempre que necessário.

Criando espaços não digitais

É sábado, e você sabe que é o dia ideal para a família andar de bicicleta e visitar aquele novo museu de que as crianças falaram. Mas o dia começa devagar. As crianças ligam a televisão depois do café da manhã, e você acaba assistindo a um filme. Depois de três horas diante da televisão, você sente o corpo mole e parece que a tarefa de tirar todos de casa é pesada demais.

O que aconteceu com o sábado? Seus planos para um dia maravilhoso foram engolidos pela conveniência de ficar em casa. O controle remoto estava ao alcance do braço, e o novo museu ficava a uns trinta quilômetros de distância. As telas — o celular, o computador, o *tablet* ou a televisão — passaram a ser uma atividade alternativa para muitas famílias. Não exigem nenhum esforço e tornaram-se tão habituais como escovar os dentes de manhã. Sozinha, a força de vontade não mudará o tempo da família diante das telas. Você precisa criar novos hábitos e rebobinar o cérebro de seu filho para apreciar atividades longe das telas.

Talvez você tenha ouvido falar que o ambiente é mais poderoso que a força de vontade. Isso é verdade quando se trata de comer (é difícil ter força de vontade numa padaria), e também é verdade quando se trata do tempo diante das telas. Se você instruir seu filho a passar duas horas por dia diante das telas, mas ele tiver uma televisão no quarto e um *tablet* carregado de seus *games* favoritos, ele terá dificuldades pela frente. É como tentar resistir a doces tendo um prato enorme de bolinhos recém-saídos do forno na mesa à sua frente. A tentação do ambiente destrói rapidamente o autocontrole, independentemente da força de vontade.

Ajude seu filho a ter autocontrole diante das telas. Para isso, crie "espaços não digitais" em casa. Se seu filho tem acesso livre e instantâneo aos aparelhos eletrônicos o dia todo, a semana toda, ele será atraído constantemente a usá-los. Muitos pais dão cedo demais um celular ao filho. É dificílimo ter autocontrole em relação ao tempo diante das telas quando você vive com um celular no bolso. Se você presentear seu filho com um celular ou *tablet*, estabeleça limites claros e verifique frequentemente se os limites estão sendo obedecidos. Deixar um celular ou *tablet* nas mãos de uma criança sem impor limites, sem estabelecer regras, sem dar instruções e sem ter expectativas é extremamente prejudicial a ela, independentemente da idade.

Então, como você cria espaços não digitais para seus filhos em casa? Veja algumas ideias.

Transforme o quarto de seu filho num espaço não digital. Não coloque aparelho de televisão no quarto dele. Pegue todos os aparelhos eletrônicos, como celulares e *tablets*, à noite como medida de segurança. Marque uma hora — por exemplo, às 19h30 — para recolher todos os aparelhos eletrônicos portáteis. Faça isso insistentemente durante um mês; depois de um mês, passará a ser um hábito para a família toda.

Não permita celulares e outros aparelhos eletrônicos na hora das refeições. A refeição em família é um momento extraordinário para conectar-se emocionalmente com seu filho. Não permita que distrações digitais como mensagens de texto ou televisão roubem esse tempo de qualidade com a família. Se seus filhos já frequentam a escola, provavelmente passam mais horas por dia longe de você que em sua companhia. Com esse limite impositivo de tempo todos os dias, a hora das refeições com a família se torna ainda mais importante.

Reserve os passeios de carro para conversas, não para fones de ouvido, filmes ou video games. Quantas vezes você já viu os pais no banco da frente do carro e os filhos no banco traseiro com os olhos grudados numa tela ou usando fones de ouvido? Esses momentos são preciosos para você passar a sós com seu filho neste mundo agitado. Não desperdice esse tempo permitindo que seu filho se distraia com aparelhos eletrônicos. Aproveite-o para conversarem sobre o dia. Ou transforme o carro numa universidade ambulante, ouvindo *podcasts* ou *audiobooks* com seu filho que exerçam influência positiva na vida das crianças e ofereçam assunto para mais conversas.

Preencha o tempo livre de seu filho com atividades longe das telas. Uma criança deve participar todos os dias de atividades saudáveis, tendo hora de brincar, ler, fazer o dever de casa, conversar e exercitar-se. Se seu filho não pratica esporte, reserve um tempo para brincadeiras ao ar livre. Se não for possível, crie uma academia doméstica com exercícios de polichinelo, flexões, abdominais etc. Insista em estabelecer um tempo diário de leitura e ofereça a seu filho livros interessantes e variados emprestados da biblioteca. Incentive a hora de brincar, colocando jogos de tabuleiro e brinquedos em prateleiras ao alcance de seus filhos. As crianças se desenvolvem melhor quando têm atividades programadas e sabem o que esperar para cada dia. Se elas se habituarem à rotina diária de ler, fazer o dever de casa, brincar e exercitar-se, o tempo diante das telas poderá ser programado para fazer *parte* da vida delas, mas não a parte *principal*.

Como substituir hábitos prejudiciais

Anna e Tyler estavam adiando a compra de um *video game* para os filhos de 3 e 5 anos, mas os meninos viviam insistindo com os pais, porque os amigos e primos já possuíam um. Os pais decidiram surpreendê-los no Natal por achar que já era tempo de comprar o primeiro aparelho de *video game* para os meninos. Eles, é claro, ficaram muito entusiasmados. Os pais estabeleceram regras — os meninos se revezariam, jogando trinta minutos após o café da manhã e trinta minutos após o jantar. Depois de alguns meses, contudo, os meninos queriam jogar *games* que pareciam sombrios demais para a idade deles. Anna e Tyler disseram que não eram apropriados, mas as lamúrias continuaram.

Além de pedir insistentemente jogos destinados a meninos mais velhos, eles começaram a querer usar o celular de Anna para jogar sempre que os pais estavam fora. Mesmo extrapolando o limite de tempo estabelecido anteriormente, Anna entregou o celular aos meninos no supermercado para mantê-los quietos. E aconteceu de novo, enquanto aguardavam a aula de caratê, e depois no restaurante. O uso do celular de Anna durante o dia enquanto ela cuidava da casa tornou-se normal para os meninos. Anna sentia-se péssima por ver os filhos jogando cada vez mais no celular, mas não sabia como tirar esse privilégio depois de o ter concedido.

Eu (Gary) aconselho muitos pais como Anna, que receiam fazer mudanças que vão desagradar os filhos. Seu filho pode até ter um acesso de raiva, mas se você não lidar com esse problema aos 3 anos ele continuará a fazer birra aos 13. Não permita que o descontrole de seu filho trabalhe em favor dele. Se ele conseguir o que quer tendo acessos de raiva, continuará a agir assim com mais frequência porque produz resultado. Diga a seu filho: "Se quiser espernear e gritar, tudo bem, vá fazer isso em seu quarto. Mas não vai fazer diferença nenhuma. Não é assim que se consegue as coisas nesta casa. Quando você se acalmar, diga o que quer e decidiremos se será útil para você. Mas não mudaremos as regras só porque você chorou".

As crianças resistem quando você tenta mudar qualquer coisa, e mais ainda quando você restringe o tempo diante das telas. Porém, à medida que se envolverem com outras atividades, passarão a apreciar o que você fez. Por exemplo, se Anna substituir o tempo diante das telas por meia hora de leitura, os filhos poderão não gostar a princípio, mas, se lerem livros bons, que os levem ao mundo da imaginação, agradecerão à mãe por tê-los ensinado a incluir a leitura na vida deles.

Talvez você pense que errou ao conceder muitos privilégios a seu filho ou ao não controlar devidamente o tempo que ele passa diante das telas. É hora de ter uma conversa com ele, talvez começando com um pedido de desculpa. Em vez de culpar seu filho por passar muito tempo jogando *video games*, admita sua responsabilidade. "A mamãe e eu andamos pensando neste assunto e achamos que cometemos um erro quando lhe demos este aparelho. Você não tem idade suficiente. Por isso, ouça o que vamos fazer: você vai ficar sem o aparelho durante três meses. Queremos que aprenda a viver, a obedecer e a gostar de estar com as pessoas sem este aparelho. Depois de três meses, veremos se vai valer a pena devolvê-lo a você."

Ao restringir o uso do aparelho durante três meses, você não o tirou de seu filho indefinidamente nem o puniu para sempre, mas sim deu a ele a chance de tentar algo novo por tempo suficiente para abandonar os maus hábitos e iniciar outros mais saudáveis. Pode ser que você tenha deixado as coisas correrem soltas por algum tempo. Regras claras foram violadas, e você deveria ter tomado uma atitude muito antes. Não dá para mudar o passado, mas você pode começar do ponto em que está.

Não tenha medo de tomar decisões impopulares visando o melhor para seu filho. Seu objetivo como pai ou mãe não é fazer seu filho sentir-se bem, mas sim fazer dele uma boa pessoa. De agora em diante, estabeleça limites claros. Comunique as novas regras sobre tempo diante das telas e as consequências se elas forem desobedecidas. Seja coerente ao aplicar punições. A coerência evita que seu filho se ressinta por causa de regras que vivem mudando.

Sempre ao lado deles

Natalie e Brent têm quatro filhos, de 18, 15, 13 e 10 anos. A regra é: ganham um celular básico só depois de chegar ao ensino médio. Eles não podem enviar nem receber fotos, nem têm acesso à internet, mas podem usar as redes sociais em casa. Os celulares e os *tablets* são recolhidos todas as noites, e o domingo é um dia livre para usar o celular. Os dois mais novos não têm celulares nem conta de *e-mail*, e só poderão usar as redes sociais quando chegarem ao ensino médio.

Embora tenham regras mais rigorosas que os colegas, os filhos de Natalie e Brent aceitam esses limites sem grandes problemas. As regras da família foram claramente articuladas quando eles eram pequenos. Não houve surpresas como "Você está dizendo que só vou poder ter um celular quando estiver no ensino médio?". Além disso, Natalie e Brent têm um forte relacionamento com os filhos. O casal mantém o tanque emocional dos filhos sempre cheio por meio das cinco linguagens do amor. As regras não são ditadas por pais rígidos; são proferidas com amor por pais carinhosos.

Seus filhos precisam saber que você sempre estará do lado deles. Não há programa de computador no mundo comparável a um pai ou mãe que participa da vida dos filhos, que os ama e os orienta. Quando você assume seu lugar como figura de autoridade do lar, seus filhos se tornam cada vez mais seguros no mundo real, não no mundo das telas.

Acordo da família quanto à segurança com os aparelhos eletrônicos
Aviso aos avós

Nora sempre aguardou com ansiedade a visita dos netos. Ultimamente, porém, as coisas mudaram. Logo depois de abraçá-la, os netos pedem para usar o *tablet* dela. Assim que ela entrega o *tablet*, as crianças não querem mais brincar de jogos de tabuleiro, nem sentar no sofá para conversar. Nora não pode competir com o entretenimento virtual, por isso se senta ao lado das crianças enquanto elas jogam no *tablet*. Ela sente falta dos velhos tempos, quando se sentava com os netos para brincarem juntos.

Você já se sentiu como Nora? Na próxima vez que seus netos chegarem para uma visita, tente as sugestões a seguir.

FAÇA ISTO:

- Recolha os aparelhos eletrônicos quando os netos estiverem em sua casa.
- Dedique o tempo que passam juntos para atividades como passear ao ar livre, jogar bola ou assar biscoitinhos.
- Desenhem ou façam artesanato juntos.
- Diminua o ritmo! A vida de seus netos talvez seja muito agitada, e o tempo livre com você não tem preço.
- Pergunte a seus netos sobre a escola, os amigos e a vida.
- Conte histórias de sua infância e fale sobre coisas que você aprendeu e realizou.

NÃO FAÇA ISTO:

- Não se sinta culpado por decepcionar seus netos se eles não gostarem das regras sobre aparelhos eletrônicos em sua casa.
- Não vejam televisão juntos por mais de duas horas ao dia.
- Não ceda aos pedidos de mais tempo diante das telas.
- Não permita que vejam ou joguem algo que seja proibido na casa deles.
- Não compre para seu neto um aparelho eletrônico, como celular ou *tablet*, sem antes consultar o pai e a mãe.

Para refletir

1. Você precisa "voltar a assumir o controle da casa" porque seus filhos estão dando as ordens e desrespeitando os limites que você impôs?
2. Você tem dificuldade de acompanhar o uso do computador por seu filho porque não entende os programas que ele usa?
3. Caso queira que seu filho reduza o tempo diante das telas, você se sente à vontade para promover essas mudanças ou tem medo da reação de seu filho?
4. Em sua opinião, é mais importante que seu filho goste de você ou que o respeite?
5. Existem espaços não digitais em sua casa (p. ex., quarto sem aparelhos eletrônicos) ou períodos prolongados longe das telas (p. ex., aparelhos desligados por um tempo)?
6. Se você tem dado muitos privilégios a seu filho ou controla pouco o tempo que ele passa diante das telas, o que fará a respeito disso agora?
7. Para os avós: Quais são suas frustrações acerca do tempo que seus netos passam diante das telas? Que regras gostaria de ter em sua casa quando os netos os visitarem?

13

O TEMPO DIANTE DAS TELAS E A MÃE OU O PAI SOLTEIRO

> "Não há pobreza mais terrível que a solidão e a sensação de não ser amado."
>
> MADRE TERESA

Shannon, 10 anos, senta-se no concreto com sua mochila junto dela. As atividades extracurriculares terminaram; ela vê a mãe e entra no carro. Depois do jantar, Shannon termina o dever de casa e liga a televisão. Assiste a programas rotineiros por algumas horas. Não se sente feliz nem triste. É seu ritual de todas as noites até a hora de dormir. Mas as coisas não eram assim.

Antigamente, ela se aninhava com a mãe no sofá para ler uma história ou dava um passeio de bicicleta no quarteirão com o pai. Porém, desde que os pais se divorciaram no ano anterior, Shannon mora com a mãe e vê o pai nos fins de semana. A mãe quase sempre está cansada após o trabalho, por isso Shannon aprendeu a não pedir que brinque com ela ou leia um livro para ela. Shannon sente saudade de sua família de antes.

É difícil encontrar outra mudança que tenha afetado de modo tão profundo a natureza de nossa sociedade como o divórcio. Nos Estados Unidos, por exemplo, a proporção de lares com a ausência do pai ou da mãe aumentou dez pontos percentuais entre 1970 e 2012, de 17% para 27%, de acordo com as estatísticas do censo.[1] Assim, por haver muitas crianças vivendo somente com a mãe ou com o pai, queremos abordar algumas necessidades dessas famílias, principalmente no que diz respeito ao tempo diante das telas.

A mãe ou o pai solteiro que procura atender às necessidades dos filhos e, ao mesmo tempo, precisa manter uma carreira e ao menos algo semelhante a uma vida pessoal conhece as tensões de liderar o lar. Se for essa sua situação, conhece muito bem as pressões de tempo, as demandas financeiras e a solidão que você e seus filhos vivenciam. Você se pergunta se é capaz de dar conta de sua missão como mãe ou como pai. Muitas vezes, sente-se sobrecarregado só em pensar de ter de fazer tudo sem ajuda.

Quando seu filho pede para ver um pouco mais de televisão ou jogar *video game* por mais trinta minutos, isso lhe dá um tempo sem interrupções para responder aos *e-mails*, limpar a cozinha ou passar alguns momentos a sós e em silêncio. Os aparelhos eletrônicos passam a ser uma companhia conveniente, porque mantêm seu filho ocupado e longe de encrencas. Muitas mães ou pais solteiros não conseguem dar conta das atividades extracurriculares nem têm tempo ou energia para levar os filhos a um passeio pela cidade. A televisão, os *video games* e a navegação na internet são os meios mais fáceis de aguardar uma ocasião mais propícia.

Efeitos colaterais do tempo diante das telas

Em geral, a raiva torna-se mais intensa e dura mais tempo no coração dos filhos de pais divorciados. Crianças cujo pai ou mãe foi embora necessitam de tempo para chorar a perda. A canalização de tanta energia para sentimentos de tristeza, raiva ou insegurança pode resultar em notas baixas na escola, comportamento agressivo, menos respeito pelos adultos e profunda solidão.

Enquanto permanece nessa instabilidade emocional, a criança procura preencher o vazio com *video games*, filmes, mundos virtuais ou redes sociais. No entanto, é bem provável que o tempo excessivo diante das telas aumente os problemas emocionais da criança, em vez de diminuir. De acordo com a Clínica Mayo,[2] o excesso de tempo diante das telas está ligado a:

- *Obesidade.* Quanto mais tempo a criança vê televisão, maior é o risco de ganhar peso. Além de ser sedentárias enquanto veem televisão, as crianças são bombardeadas com propagandas de alimentos prejudiciais à saúde. E mais: comem sem pensar enquanto veem televisão.
- *Sono irregular.* Crianças que passam muito tempo diante da televisão são mais propensas a ter problemas de sono. A falta de sono produz transtorno de atenção na escola, fadiga e exagero na comida.
- *Problemas de comportamento.* As crianças do ensino fundamental que passam mais de duas horas por dia vendo televisão ou usando o computador são mais propensas a desenvolver problemas sociais, emocionais e de atenção.
- *Desempenho escolar prejudicado.* As crianças do ensino fundamental que possuem televisão no quarto tendem a produzir menos que os colegas que não possuem aparelhos eletrônicos no quarto.
- *Violência.* Quando exposta a *games* ou filmes violentos, a criança torna-se insensível à violência. Resultado:

aceitam o comportamento violento como forma normal para lidar com problemas.

- *Menos tempo para brincar.* Quando usam o tempo livre para ficar diante do computador ou da televisão, as crianças têm menos tempo para brincadeiras movimentadas e criativas.

Esses efeitos colaterais são comuns a todos os filhos criados por mãe ou pai solteiro ou em lares com a presença dos dois, mas podemos ver que são especialmente prejudiciais à criança que já luta com problemas emocionais e comportamentais.

A resposta para crianças criadas só pela mãe ou só pelo pai certamente não é aumentar o tempo diante das telas. As crianças sobrecarregadas de sentimentos negativos têm dificuldade de raciocinar com clareza. Ler com seu filho é uma solução positiva que pode ajudá-lo a pensar com clareza a respeito de sua dor e perda. Escolha histórias apropriadas para a idade de seus filhos nos primeiros anos da adolescência. Esse pode ser um tempo agradável de união entre vocês. Preste atenção às reações de seu filho enquanto você lê para ele. Para criar oportunidades de discussão no nível dele, pergunte o que ele está pensando. Inventar histórias juntos lhe proporcionará um vislumbre do que se passa no íntimo de seu filho e que ele não consegue verbalizar durante uma conversa.

Reduza o tempo diante das telas e proteja o "tempo para mim"

A maioria dos pais e mães solteiros trabalham fora em período integral para sustentar a família e, no fim do dia, estão fisicamente exaustos. Não há dúvida de que a mãe ou o pai solteiro terá de reunir forças a fim de ter energia suficiente para cuidar das responsabilidades do trabalho e do lar. No entanto, é importante que os pais não sucumbam a horas a fio diante da televisão, dos *video games* ou do celular só porque estão cansados demais para interagir com os filhos.

Como a mãe ou o pai solteiro reduz o tempo do filho diante das telas enquanto protege o "tempo para mim" de que ela ou ele tanto necessita? Uma das melhores soluções é estabelecer um horário para os filhos dormirem, principalmente os menores. Se você estabelecer um horário mais cedo, a criança se adaptará àquela rotina. Se seu filho não estiver pronto para dormir mais cedo, diga: "Você não precisa dormir imediatamente, mas precisa ir para o quarto e ficar em silêncio. Leia um livro por alguns minutos até o sono chegar". Isso dá à mãe ou ao pai solteiro um pouco de tempo no fim do dia para ficar sozinho, respirar fundo e fazer o que necessita ser feito na casa sem interrupções.

Um horário mais cedo para dormir é uma boa ideia para famílias com um ou dois pais presentes. Meus netos (de Gary), de 10 e 14 anos, vão dormir rotineiramente às oito da noite. Podem ler no quarto até que o sono chegue, mas sabem que devem aquietar-se às 20 horas. As crianças fazem aquilo para o qual são treinadas. Quando a mãe ou o pai solteiro treina os filhos a dormir cedo, ela ou ele encontra o tempo de que tanto necessita para se cuidar, ao mesmo tempo que proporciona sono saudável aos filhos.

As mães ou pais solteiros precisam calcular quanto tempo por dia deve ser dedicado aos aparelhos eletrônicos. Estudos mostram que as crianças que moram só com a mãe passam mais tempo por dia diante das telas.[3] Se seu filho vê televisão ou joga *video games* por mais de duas horas, elabore um plano para reduzir o tempo dele diante das telas. Comece com estas ações simples:

- *Decida antecipadamente quais programas seu filho pode ver.* Espere a hora do início do programa para ligar a televisão.
- *Desligue a televisão assim que o programa terminar.* Não use a televisão como som de fundo.
- *Faça uma tabela com o tempo de tela da semana.* Marque o tempo que seu filho permanece diante da televisão a cada dia e sempre peça que ele confira. Decida se irá acrescentar o tempo não utilizado na próxima vez.
- *Estipule determinados dias* da semana, como sábado e domingo, para jogar *video games* ou ver televisão, e não permita essas atividades nos dias úteis.
- *Não permita que seu filho coma diante da televisão ou do computador.* Depois de algum tempo, seu filho ficará com fome e desligará o aparelho.
- *Explique para seu filho por que você está fazendo essas restrições.* Fale sobre os benefícios de passar menos tempo diante das telas e mais tempo brincando ou lendo.

Provavelmente seu filho resistirá no início, mas com o tempo lhe agradecerá por controlar o tempo dele diante da tela.

Pais diferentes, regras diferentes

Zack é um garoto muito ativo de 6 anos que adora *video games*. Quando está na casa do pai, nos fins de semana, ele pode jogar quanto tempo quiser, então ele joga com o pai durante horas. Durante a semana, porém, na casa da mãe, Zack só pode jogar uma hora por dia.

"Mãe", Zack reclama, "por que não posso jogar mais como faço na casa do meu pai? Não vejo a hora de voltar para a casa dele."

A mãe de Zack explica que há regras diferentes na casa do pai e na casa da mãe. É claro que ela se sente frustrada por o ex-marido ser mais flexível com as regras do tempo diante das telas, e Zack sente-se frustrado por não ter o que deseja.

Nos lares onde só a mãe ou o pai está presente por causa do divórcio, algumas crianças, como Zack, têm contato frequente com aquele que não possui a custódia. Outras sofrem por ter contato negativo ou total falta de relacionamento. Quando duas pessoas compartilham a custódia de uma criança, como os pais de Zack, o ideal é que entrem em acordo com as regras do tempo diante das telas, procurando torná-las coerentes o máximo possível, para o bem do filho.

Se a mãe de Zack proíbe *video games* e o pai não impõe regras sobre o assunto, Zack se sentirá perdido entre as duas orientações. É razoável, contudo, que a mãe de Zack imponha limites e diga algo mais ou menos assim: "Em nossa casa, jogamos uma hora por dia, mas não posso controlar seu pai. Ele é seu pai, então é claro que vai fazer o que imagina ser o melhor para você. Mas eu sou sua mãe, e tenho de fazer o que eu penso ser o melhor".

Às vezes, a mãe e o pai são antagônicos entre si. Mesmo assim, seria recomendável que estipulassem juntos as regras sobre o tempo diante das telas, para que funcionassem nas duas casas. Talvez fosse interessante procurar um psicólogo ou pastor para ajudá-los a chegar a um acordo. Por vezes dá certo, e em outras vezes não se chega a um acordo porque um dos pais não coopera. Ainda assim, sempre vale a pena tentar, pelo bem da criança.

O pai que passa menos tempo com o filho é quase sempre tentado a encher a criança de presentes como *video games*, *tablet* e *smartphones*, talvez por causa do sofrimento da separação ou pelo sentimento de culpa por ter abandonado a família. Quando esses presentes são excessivamente caros, mal escolhidos e completamente diferentes dos que a mãe ou o pai com a custódia consegue comprar, os presentes tornam-se uma forma de suborno, uma tentativa de comprar o amor do filho, talvez uma forma inconsciente de recuperar a custódia da criança.

Se o filho tem regras conservadoras com a mãe, mas o pai permite tempo à vontade diante das telas, a criança vai preferir a casa onde há mais divertimento. Depois de passar um fim de semana com brinquedos novos, filmes e tempo ilimitado jogando *video games*, a casa de quem tem a custódia durante a semana se torna um tédio. Às vezes a criança fica zangada com a mãe ou o pai mais rígido, mas com o tempo compreenderá que o mais rígido foi quem zelou verdadeiramente por ela. À medida que crescem, as crianças reconhecem que o pai sem a custódia estava usando os presentes e sendo exageradamente permissivo para manipulá-las e conquistar sua simpatia.

Quando um casal divorciado se esforça junto para criar os filhos aplicando os mesmos valores e regras, as crianças reagem bem. Embora seja raro pais divorciados trabalharem em conjunto para o bem dos filhos, há muitos que estão tentando fazer isso.

A ideia brilhante de um pai solteiro: a história de Jake

Jake é pai de dois filhos muito ativos, Landon, 7 anos, e Dylan, 9. Alguns anos atrás, a esposa de Jake morreu num trágico acidente de carro. A família está se ajustando à nova vida com a ajuda de parentes e amigos. Para os meninos, a palavra *verão* significa viajar para outro estado e passar dois meses na casa da avó.

Na casa da avó, eles têm permissão para ver televisão horas e jogar *video games* quanto quiserem durante o tempo livre, algo que não podem fazer em casa. Os meninos iam a acampamentos de verão e brincavam ao ar livre, mas agora estavam passando cinco horas por dia diante da tela.

Quando voltaram para casa, depois de passar o verão com a avó, Landon e Dylan não desgrudavam os olhos da televisão. Jake pensou: "Assim não dá. Meus filhos não vão ficar com os olhos grudados na tela depois das aulas".

Decidiu anunciar um plano ousado para os meninos. "Durante um mês, vamos ficar sem televisão, sem filmes e sem *video games*. Depois de um mês, vamos a um parque de diversões para comemorar."

A princípio os meninos não reclamaram, pois queriam ir ao parque de diversões. Em vez de ver televisão depois das aulas, os meninos liam livros. Imagine a satisfação de Jake quando viu os filhos com os olhos grudados nos livros e não na televisão! Em algumas manhãs, Jake chegou a ver os filhos acordados já às seis da manhã, lendo.

Depois de duas semanas, Dylan disse: "Gostei de fazer isso, pois os livros são muito melhores que a televisão". É claro que houve problemas ao longo do mês, como quando Jake quis ver um jogo de futebol ou levar os meninos para assistir a um filme novo e não pôde. Mas, de modo geral, o jejum de telas foi um sopro de ar fresco e aumentou o tempo de leitura na casa.

Terminado o mês, porém, os meninos voltaram a ver televisão. "É fácil demais retroceder", Jake admitiu. Os meninos têm limites diários para ver televisão: uma hora de manhã antes das aulas e uma hora após as aulas. Também ganham pontos quando não veem televisão nos dias úteis, e os pontos se transformam em permissão para mais tempo.

"A televisão tem som alto e distrai", disse Jake. "Se você quiser conversar com alguém, precisa competir com a televisão. Sem ela, os meninos encontram coisas melhores para fazer. Desenham ou leem, escrevem histórias ou conversam entre si."

Jake dá este conselho a pais e mães solteiros: "Não use a televisão como muleta. Seus filhos podem ter livros e brinquedos, e gravitarão em torno dessas outras coisas. Eles podem reclamar, mas diga apenas: 'Sinto muito, não vamos ligar a televisão'. Talvez eles fiquem aborrecidos por uma semana, mas se adaptarão. É preciso estar disposto a investir neles".

Enchendo o tanque de seu filho mesmo quando o seu está vazio

Encher o tanque de amor de seu filho parece impossível às vezes. Você está exausto, seu filho é exigente, e talvez seja você quem sinta falta de amor. No entanto, por mais difícil que seja a situação, você pode tomar algumas pequenas atitudes todos os dias para mostrar amor a seus filhos, principalmente ao falar a linguagem do amor de cada um deles. As necessidades dos filhos de mãe ou pai solteiro são as mesmas dos filhos que moram com a mãe e o pai. A diferença está em como essas necessidades são atendidas; um dos dois, a mãe ou o pai, é o principal responsável por cuidar dos filhos, em vez de duas pessoas. E quem cuida dos filhos sozinho, por divórcio, por viuvez ou por não ter se casado, é quase sempre o que mais sofre.

As crianças também sofrem. As emoções mais comuns são medo, raiva e ansiedade. Filmes, televisão, *video games* e mundos virtuais raramente resolvem esses problemas. É mais provável que o tempo excessivo ou impróprio diante das telas aumente essas emoções negativas, e elas podem esvaziar rapidamente o tanque emocional da criança. Negação, raiva e depois barganha, acompanhadas de mais raiva, são reações comuns ao sofrimento que os filhos do divórcio e os que perderam a mãe ou o pai sentem. Alguns atravessam essas fases do sofrimento com mais rapidez se um adulto importante na vida deles se dispuser a dialogar abertamente sobre a perda. As crianças precisam de alguém para conversar e chorar junto.

Infelizmente, o tempo diante das telas impede essa comunicação e pode retardar o processo de cura das crianças porque elas nunca têm tempo para chorar. As distrações digitais retardam o sofrimento, e anos depois os sentimentos de medo, raiva e ansiedade virão à tona. Ouvir muito, falar pouco, ajudar seu filho a enfrentar a realidade, reconhecer o sofrimento e solidarizar-se com a dor — tudo isso faz parte do processo de cura. Mas essas coisas não podem ser feitas por meio de mensagens de texto.

Se você sabe qual é a principal linguagem do amor de seu filho, seus esforços para atender às necessidades emocionais dele serão mais eficazes. Por exemplo, a linguagem do amor de Robbie é toque físico. O pai saiu de casa quando ele tinha 9 anos. Ao pensar no assunto, Robbie diz: "Se não fosse pelo meu avô, não sei o que teria feito. Na primeira vez que o vi depois que meu pai foi embora, ele me abraçou durante um longo tempo. Não disse nada, mas eu sabia que ele me amava e estaria sempre ao meu lado. Todas as vezes que vinha me visitar, ele me abraçava ao me ver, e quando partia fazia a mesma coisa. Não sei se ele sabia o quanto aqueles abraços significavam, mas eram como chuva no deserto para mim".

Robbie continuou: "Minha mãe também me ajudou muito, porque permitia que eu falasse e fizesse perguntas, e me encorajava a falar de meu sofrimento. Sabia que ela me amava, mas no início eu não estava disposto a aceitar seu amor. Ela tentava me abraçar e eu a empurrava. Acho que a culpava por meu pai ter saído de casa. Só quando descobri que ele foi embora por causa de outra mulher foi que me dei conta de que a havia julgado mal. Comecei, então, a aceitar seus abraços, e voltamos a ficar íntimos".

É difícil aprender a encher o tanque de amor de seu filho quando o seu está na reserva. Mas, como a mãe de Robbie, a pessoa sábia entenderá as necessidades exclusivas do filho — e tentará atendê-las.

Se você já viajou de avião, ouviu a comissária de voo ensinar os passageiros a colocar a máscara de oxigênio antes de ajudar seu filho a fazer o mesmo em caso de emergência. Não menospreze sua necessidade emocional de amor, porque ela é tão real quanto a necessidade de seu filho. Se essa necessidade já não pode ser suprida pelo ex-cônjuge ou por um filho, a mãe ou o pai que ficou sozinho precisa aprender a procurar o apoio de amigos e familiares.

Encontrando ajuda na comunidade

Nenhum pai ou mãe solteiro pode atender sozinho às necessidades de amor do filho. É aí que entram em cena os avós e familiares, bem como a igreja e a comunidade. Os parentes são sempre importantes, mas tornam-se ainda mais quando as crianças sofrem perdas ou quando a vida se desestabiliza. Os avós que moram perto podem ajudar as crianças durante os dias da semana, e a presença deles pode alegrar não só os netos, mas também o próprio filho ou filha. Eles assimilam parte da carga emocional do pai ou da mãe.

É verdade que isso nem sempre é possível. Os membros mais próximos de sua família talvez morem a centenas de quilômetros de distância. Se for esse o caso, não espere alguém perguntar se precisa de ajuda. Pode ser que as outras pessoas desconheçam sua situação. Se você ou seus filhos necessitam de ajuda, investigue os recursos disponíveis em sua comunidade. Alguém da escola de seu filho ou de sua igreja poderá orientá-lo na busca. Quanto mais contato seu filho tiver com exemplos positivos, melhor será.

Criar um filho sozinho é uma das tarefas mais difíceis do mundo. Alice, que se divorciou já há alguns anos, dependia do filho para ser amada e aceita. Dedicou a vida inteira a ele e nunca o contrariou, pois temia sua desaprovação. Ao chegar à adolescência, o filho viciou-se em *video games*, e Alice nunca o corrigiu nem mesmo quando o problema se refletiu em seu rendimento escolar. Ela precisava que o filho gostasse dela porque isso lhe dava o amor e a aceitação de que tanto necessitava.

A mãe ou o pai solteiro precisa ter laços firmes de amizade fora de casa para não depender dos filhos quanto às suas necessidades emocionais. Embora ela ou ele possa conectar-se com amigos *on-line* por meio de uma rede social, o resultado só será positivo se o contato for feito pessoalmente ou por telefone. Muitos adultos confiam em mensagens de textos e *tweets* para manter contato com os outros, mas não é o suficiente. Muitas mães solteiras passam horas em redes sociais sem conseguir conectar-se com outra pessoa de maneira significativa.

Uma palavra de advertência sobre novas amizades: a mãe ou o pai solteiro é extremamente vulnerável a pessoas do sexo oposto que podem aproveitar-se da situação num momento de fraqueza. Por necessitar tanto de amor, corre-se o risco de aceitar esse amor de alguém que tirará vantagem em termos sexuais, financeiros ou emocionais. Portanto, seja seletivo ao fazer novas amizades. A fonte mais segura de amor e comunhão encontra-se nos amigos de longa data, que conhecem seus familiares. A mãe ou o pai solteiro que tenta satisfazer a necessidade de amor e comunhão de modo irresponsável pode deparar com mágoa atrás de mágoa.

Como pai ou mãe, você exerce a principal influência na vida de seu filho. A dignidade e sabedoria com que você lida com sua condição de solteiro ou divorciado é capaz de transmitir uma força enorme a seu filho. Você pode ajudar a recuperar a sensação de segurança dele, não com a companhia de aparelhos eletrônicos, mas com sua companhia e com a amizade de outros. Quando você vive numa comunidade de pessoas que se preocupam com você e com seus filhos, as crianças se adaptam melhor à vida do mundo real em vez de refugiar-se no mundo das telas. É possível que seu filho não chegue à próxima fase do *video game* mais recente, mas chegará aos próximos níveis de sucesso emocional, se você lhe mostrar o caminho com seu exemplo.

Para refletir

1. Quais são alguns dos desafios singulares que você enfrenta como mãe ou pai solteiro?
2. Seu filho enfrenta um ou mais destes problemas: obesidade, sono irregular, mau comportamento, desempenho escolar insatisfatório ou agressividade? Em caso afirmativo, você acha que o tempo diante das telas está contribuindo para isso?
3. Que horas seu filho se deita? Ele dorme mais cedo para que você tenha um tempo só seu no fim do dia?
4. Você e seu ex-cônjuge compartilham a custódia dos filhos? As regras relacionadas ao uso de aparelhos eletrônicos são diferentes das de seu ex-cônjuge? Se sim, vocês poderiam trabalhar juntos para ter regras mais coerentes?
5. Você gostaria de tentar um "jejum das telas" como fez o pai na página 214? Em sua opinião, o que funcionaria para você e seus filhos?
6. Quando você deseja encher o tanque de amor de seu filho todos os dias, que obstáculos enfrenta?
7. Você vive numa comunidade de pessoas carinhosas que lhe dão apoio como pai ou mãe?
8. Como você pode buscar apoio construtivo de outras pessoas, caso não o tenha neste momento?

14

O TEMPO DIANTE DAS TELAS E VOCÊ

> "Creio que o efeito mais destrutivo do mundo digital é a dependência que os próprios pais têm da mídia digital, porque essa dependência passará a ser a dependência dos filhos."
>
> Pastor anônimo para alunos com idade universitária[1]

Russell, pai de três filhos, trabalha como empreiteiro independente e vive ao telefone. Há tarefas para supervisionar e negócios para fechar. Russell também trabalha como voluntário em sua igreja, dirigindo um ministério para homens. Planeja churrascos de fim de semana, organiza cultos e reuniões no café da manhã. Faz um excelente trabalho, mantendo os homens informados dos próximos eventos por meio de telefonemas e mensagens de texto. Para os filhos, porém, Russell parece estar sempre ocupado ao telefone.

Nancy, esposa de Russell, não fica muito atrás. Os filhos e os amigos de Russell chamam-na de "Rainha do Twitter", e isso não é um elogio. Nancy verifica seus *tweets* e postagens várias vezes ao dia. Nas noites em que saem juntos, ela se senta com Russell para jantar, sempre com o celular na mão, respondendo aos *tweets* e tuitando sobre o cardápio. Essa conexão constante com as redes sociais está levando Russell à loucura, mas ele prefere não reclamar.

Nancy também está envolvida no ministério para mulheres. Sua dependência das redes sociais começou de maneira bem inocente. Quando notava que alguém precisava de alguma coisa, enviava um *tweet* de incentivo durante a semana. A pessoa ficava tão emocionada que Nancy começou a enviar mensagens para outras mulheres na igreja, com o intuito de encorajá-las. Sem perceber, começou a comunicar-se constantemente com amigas nas redes sociais. Viver conectada digitalmente passou a ser parte da vida, e ela não sabia como parar.

Russell e Nancy não são os únicos pais que não sabem equilibrar o tempo diante das telas com o tempo em família. Vivem grudados ao celular enquanto caminham com os filhos do estacionamento até o pátio da escola. Em casa, estão sempre diante das telas, seja do computador, do *tablet*, da televisão ou do celular. Vivemos atarefados verificando *e-mails*, redes sociais, notícias diárias e mensagens de texto. As manchetes tomam conta de nossa atenção enquanto nossos filhos passam despercebidos.

Nenhuma criança deseja competir com os aparelhos eletrônicos para ter a atenção dos pais, e nem deveria. Mas os adultos estão ficando cada vez mais dependentes dos aparelhos eletrônicos, desgastando a comunicação com os filhos. As crianças não necessitam de atenção constante dos pais, mas necessitam saber que estão acima dos ruídos do mundo das telas.

À semelhança dos pais

As crianças aprendem desde cedo com o exemplo dos pais. Os professores Andrew Meltzoff e Patricia Kuhl, da Universidade de Washington, mostram vídeos de bebês com 42 minutos de vida já imitando os adultos. Quando o adulto mostra a língua, o bebê faz o mesmo. Antes de ter uma hora de vida, os bebês já estão imitando o comportamento dos pais.[2] Ao tornar-se pai ou mãe, você logo se deu conta de que o bebê dependia de sua proteção e direção. Agora que o bebê está crescendo, ele precisa que você seja sábio quanto às mídias digitais, pois é bem provável que ele cresça imitando seu exemplo.

As crianças pequenas observam onde o pai ou a mãe concentra a atenção e acompanham seu olhar. Quando os pais se mostram fascinados por celulares, *tablets* ou computadores, elas naturalmente mostrarão curiosidade por esses aparelhos. Se o celular for o foco central da atenção do pai ou da mãe, a criança pequena pensará: "Preciso brincar com *aquilo*!". A criança não fica fascinada com o celular em si; fica fascinada com aquilo que a mãe acha fascinante.

Nosso *exemplo* em assuntos digitais é mais importante que o que dizemos sobre o tempo diante das telas. Se nós, como pais, passamos horas a fio com aparelhos eletrônicos, seja de que tipo forem, estamos transmitindo a mensagem: "A vida é assim. Esta é a norma". Com frequência, os pais transmitem a mensagem certa, mas da maneira errada. Dizemos a nossos filhos que limitem o tempo diante das telas, mas passamos horas *on-line* após o trabalho. Dizemos que as redes sociais são nocivas, mas não desgrudamos do Facebook. Dizemos que os *video games* são perda de tempo, mas passamos horas jogando depois do trabalho para relaxar. Uma criança disse: "Meus pais dizem que perco muito tempo com meu *tablet*, mas vejo que eles fazem exatamente o mesmo".

Parece injusto esperar de uma criança algo que seus pais não são capazes de fazer. O falecido Howard Hendricks acertou ao dizer: "Não podemos transmitir a outra pessoa aquilo que não possuímos".[3] O ensinamento mais eficiente ocorre quando o pai ou a mãe mostra ao filho como lidar sabiamente com o mundo digital com base na própria experiência positiva com a tecnologia. Se seu exemplo digital não está totalmente pronto para ser imitado por seus filhos, talvez seja hora de você fazer uma pausa, para saber antes de tudo se é correto não estar disponível ao filho neste mundo demasiadamente conectado.

Mantenha distância do celular

Não importa se você é uma mãe que trabalha em casa ou se é publicitária executiva, a tentação de usar constantemente as telas está por toda parte. Os *smartphones* e os *tablets* são portáteis e estão a seu alcance o dia inteiro. O mundo das telas é sedutor e promete novidades a cada interação. *Bip. Mensagem para você.* É claro que você verifica imediatamente o celular porque quer saber se é algo urgente ou importante. Não é urgente nem importante, mas você foi treinada a reagir no mesmo instante.

Em geral, os aparelhos eletrônicos nos proporcionam coisas agradáveis, como um *e-mail* trazendo uma boa notícia ou uma foto divertida. Uma dose de dopamina é liberada, e essa recompensa intermitente faz que você queira outra dose. Não importa se é uma mensagem de texto com um agradecimento ou uma liquidação de sapatos, a gratificação que se origina do clique é real. Se você não tomar cuidado, esse ímpeto de responder às luzes piscando e aos sons de chamada se tornará um vício.

Uma porcentagem muito pequena de norte-americanos, menos de 10%, está clinicamente viciada em tecnologia, mas cerca de 65% de pessoas exageram, de acordo com o dr. David Greenfield, terapeuta em dependência de tecnologia.[4] "O celular nunca desliga, e nós nunca desligamos", ele disse. "Você dorme com ele perto do travesseiro. Não fomos criados para estar vigilantes vinte e quatro horas por dia, sete dias da semana."[5]

O mundo virtual transferiu o local de trabalho para a sala de estar da família. Já não somos forçados a deixar nosso trabalho atrás de uma escrivaninha; com nossos aparelhos, levamos para casa um número interminável de *e-mails* e problemas. Os empregadores tiram vantagem dessa conectividade, esperando que os *e-mails* e as mensagens de texto sejam respondidos de imediato, mesmo depois do expediente. Ou, quem sabe, ficamos "tuitando" o dia inteiro no local de trabalho, navegando na internet ou verificando *e-mails* pessoais, e assim temos de terminar o serviço em casa.

É realmente importante ficar ligado no trabalho vinte e quatro horas por dia, sete dias por semana? Para algumas profissões, a resposta é "sim". Mas, para a maioria, a resposta é "não". Você pode estabelecer limites quanto ao tempo em que não estará disponível para falar ao celular ou cuidar dos *e-mails*. A má administração do uso dos aparelhos eletrônicos não deve recair sobre o chefe ou patrão. Cada pessoa tem a responsabilidade de saber como usa os aparelhos eletrônicos e quanto tempo por dia deve dedicar à tecnologia.

Para muitos pais, não é o trabalho que os mantêm grudados ao celular o dia inteiro; eles simplesmente adquiriram o hábito de consultar o celular, verificar os *e-mails* ou clicar à procura de canais. Os amigos esperam respostas imediatas às mensagens de texto e postagens nas redes sociais. Enquanto passamos o tempo correndo de um lado para o outro para atender a todos em questão de minutos, nossos filhos ficam de lado, observando nossa dependência digital e aprendendo com ela.

O *smartphone* foi criado para facilitar nossa vida. Se você não atender à chamada, a pessoa que ligou poderá deixar uma mensagem no correio de voz ou via texto. Não é preciso responder de imediato. As informações digitais deixadas por quem chamou não vão desaparecer. Se você ligar para alguém ou atender a uma ligação enquanto conversa com seus filhos, estará dando um exemplo a eles. O celular passa a ser mais importante que conversar com eles.

Há exceções, é claro; por exemplo, quando você está aguardando uma ligação importante e diz à família que precisará atender quando o telefone tocar. Se estiver no meio de uma mensagem de texto e seu filho quiser falar com você, é recomendável dizer: "Espere um minuto, querido, até eu terminar esta mensagem". Concluída a mensagem, não passe para outra tarefa sem falar com seu filho. Conceda-lhe atenção total, face a face,

Porcentagens referentes a celulares

De acordo com a pesquisa do Pew Internet Project:[6]

91% dos norte-americanos adultos possuem celular.

56% dos norte-americanos adultos possuem *smartphone*.

67% dos proprietários de celulares consultam o aparelho para ver se há mensagens, alertas ou chamadas — mesmo quando não está tocando ou vibrando.

44% dos proprietários de celular dormem com o aparelho perto da cama porque não querem perder nenhuma chamada, nenhuma mensagem de texto e nenhuma atualização durante a noite.

29% dos proprietários de celular descrevem seus aparelhos como "algo sem o qual não conseguem imaginar viver".

63% dos proprietários de celular usam o aparelho para ficar *on-line*.

por alguns segundos enquanto ele formula a pergunta ou um comentário. Essa interação curta, focada e positiva comunica o seguinte: "Você é importante para mim", especialmente para a criança cuja principal linguagem de amor é tempo de qualidade.

Alguns jovens adultos, desencantados com as conexões digitais constantes, encontraram um novo jogo. Quando estão num restaurante, eles empilham os celulares no centro da mesa. O primeiro que pegar o celular durante a refeição tem de pagar a conta. Outra prática que vem ganhando popularidade é colocar todos os aparelhos eletrônicos numa caixa especial durante as refeições em casa, a fim de que a presença de cada um seja um presente para a família. Há ainda os que colocam os celulares num recipiente perto da porta de entrada, como se fosse um guarda-chuva. Afastar-se do celular para o bem da família é uma ideia salutar, seja qual for o método que você queira usar em sua casa.

Espaços e o "sábado" digital

Quando meu marido (de Arlene) e eu nos casamos, há mais de quinze anos, surgiu entre nós uma estranha pergunta. Poderíamos ficar sem televisão em casa no primeiro mês após o casamento? Queríamos passar tempo de qualidade juntos em casa depois do trabalho em vez de ligar a televisão. Embora fosse, até certo ponto, um prolongamento de meu trabalho (na época eu era produtora de televisão), concordamos em fazer isso. Quando trouxemos a televisão de volta, ela parecia uma intrusa barulhenta em nosso oásis de tranquilidade. Desde então, nunca assinamos TV a cabo nem vemos televisão em casa.

Como resultado, nossos filhos (de 4, 7 e 9 anos) cresceram numa casa sem televisão. Eles não são se importam nem um pouco com os programas da moda e nunca ouviram o ruído da televisão em casa. Quando é noite do cinema ou quando vamos ver um vídeo divertido *on-line*, as crianças vêm correndo, pois se trata de um grande evento. Posso dizer com sinceridade que essa pouca exposição à mídia tem enriquecido a vida de nossa família. Ethan, Noelle e Lucy cresceram amando livros, música e exercícios físicos, e com muito tempo para brincadeiras criativas. Não estou advogando o cancelamento da TV a cabo em todas as casas. Mas quero encorajar você dizendo-lhe que é possível criar filhos de modo diferente mesmo neste mundo saturado de mídia.

Ethan, meu filho mais velho, está no 4º ano, e os amigos dele não acreditam que ele não tenha televisão nem *video games*. "Coitadinho, o que você faz o dia inteiro?", perguntam. Ethan sorri e diz que gosta de ler, tocar piano e brincar de Lego. A princípio, talvez seja difícil eliminar a televisão de sua família, mas com o tempo alternativas mais saudáveis surgirão para preencher a ausência da televisão.

Antes, porém, que você pense que eu não sofro influência dos aparelhos eletrônicos, tenho uma confissão a fazer. Não vejo televisão, porém meu computador doméstico tem dois monitores ligados constantemente. Estou sempre sentada diante dele, escrevendo livros ou postagens no *blog*, verificando *e-mails* e redes sociais, atualizando minha agenda e contatos. Explico a meus filhos que a mamãe é uma autora que trabalha em casa, o que torna legítimo para eles o tempo que passo diante das telas. Sei, porém, que muitas vezes faço compras em *sites* de venda ou leio o *blog* de uma amiga, passando minutos desnecessários diante das telas em vez de fazer uma pausa.

Os maridos possuem o dom especial de apontar situações que podemos melhorar, e quando perguntei a James sobre o tempo que passo diante das telas ele exclamou: "Você *vive* diante do computador!". Resultado: como experiência, estou desligando o computador após o jantar. Isso me força a ser mais produtiva durante o dia e me garante que não gastarei tempo à toa *on-line* todas as noites.

A maioria dos adultos verifica automaticamente seus aparelhos eletrônicos várias vezes por hora, e ficar com olhos grudados numa tela está longe de ser relaxante. Portanto, quando você estabelecer um "toque de recolher" de todos os aparelhos e desligá-los no mesmo horário todas as noites, poderá ter de fato uma noite de descanso com mais qualidade. Defina um limite para você, não apenas para seus filhos. Quanto tempo por dia *você* vai ver televisão? Quanto tempo *você* vai permanecer *on-line*?

Williams Powers, autor de *O BlackBerry de Hamlet: Filosofia prática para viver bem na era digital*, decidiu fazer uma experiência simples para resgatar o conceito de um fim de semana relaxante. A família criou um "sábado" digital, desligando o modem da casa na hora de dormir nas sextas-feiras e só ligando na segunda-feira de manhã. A princípio, essa regra foi incrivelmente difícil para a família Powers, formada por ele, a esposa e o filho. Perceberam quanto necessitavam da conexão digital quando se viram totalmente *off-line*. Depois de dois meses de telas escuras, a situação começou a melhorar. Passados cinco meses, a família começou a desfrutar os benefícios. Powers escreve:

> Havíamos descolado nossa mente das telas onde ela estava grudada. Nós realmente estávamos lá uns com os outros e com mais

> ninguém, e podíamos sentir isso. Houve uma mudança considerável em nossa mente, uma mudança para uma forma de pensar mais lenta, menos agitada, mais relaxada. Podíamos *estar* num lugar, fazendo determinada coisa, e apreciá-la. [...] A mídia digital permite que tudo seja armazenado para uso posterior. Tudo ainda estava lá, só um pouco mais distante. A noção de que podíamos impor essa distância à multidão e à parte tumultuada da nossa vida foi revigorante de uma maneira sutil, mas significativa. Era um lembrete de que éramos capazes de impor essa distância.[7]

Eu (Gary) postei uma pergunta em minha página no Facebook sobre como criar mais distância entre nós e nossos aparelhos digitais. Eis algumas respostas:

- "Colocamos uma caixa ao lado da porta da frente com o aviso: 'Se você não estiver esperando uma ligação de Deus, do papa ou do presidente, por favor, deixe seu aparelho eletrônico aqui, para podermos aproveitar o tempo juntos'."
- "Desligamos todos os aparelhos eletrônicos quando chegamos em casa e só os ligamos novamente na manhã seguinte."
- "Tente viver sem aparelhos eletrônicos em casa durante dois dias da semana e veja como se sentirá mais relaxado e renovado. Nos outros dias, curta a vida ao ar livre. Essa é a verdadeira felicidade!"
- "Programamos os aparelhos eletrônicos para que a conexão com a internet fique desligada à noite."

Há muitas maneiras de programar um "sábado" digital que funcione bem para você e sua família. À medida que se afastar do ruído das telas, você será capaz de acessar o coração de seus filhos com mais facilidade.

Regras para os pais

Um pai fez esta pergunta a uma coluna de aconselhamento do *Wall Street Journal*:

> Prezado Dan,
> Gasto cerca de duas horas por dia jogando *video games* idiotas em meu celular. Parece uma atividade inocente, mas ela me faz perder a concentração no trabalho e consome o tempo que eu deveria passar com minha mulher e filhos. Você saberia me dizer como posso me livrar desse mau hábito?
>
> Esta foi a resposta do colunista Dan Ariely:
>
> Uma forma de combater os maus hábitos é criar regras. Ao iniciar uma dieta alimentar, por exemplo, você pode estabelecer para si uma regra como: "Não vou tomar bebidas doces". Mas, para dar certo, as regras precisam ser claras e bem definidas. [...] No seu caso, você pode decidir que, de agora em diante, não vai jogar no celular entre às seis da manhã e às nove da noite. E, para ajudá-lo a seguir essa regra, avise o pessoal de sua casa. Ou pode criar uma regra que proíba jogar nos dias úteis da semana ou nas horas de trabalho. Boa sorte.[8]

As regras digitais não se destinam apenas às crianças; também são ótimas para os pais. Crie regras específicas sobre limites de tempo, conteúdo permitido e exceções. Sabemos que não é fácil pôr novas regras em prática. De fato, uma vez que muitos adultos não conseguem controlar sozinhos o tempo *on-line*, existem programas que rastreiam e relatam atividades digitais, bloqueiam *sites* de passatempos e disparam um alarme quando os usuários extrapolam os tempos permitidos. Prestar contas ao cônjuge ou a um amigo também é uma medida eficiente quando ambos sabem o que perguntar e o que relatar, e quando estabelecem recompensas e consequências.

Use termos positivos quando estiver criando novas regras digitais para você mesmo. Não destaque a palavra *desconectar*, como se estivesse fracassando. Em vez disso, concentre-se na palavra *conectar*. Pense no que ganhará se permanecer conectado com mais frequência com sua família e afastar-se um pouco da tecnologia. Adquira o hábito de deixar o celular de lado ou de desviar os olhos da tela do computador quando alguém de sua família estiver falando com você. O contato visual é a base da empatia entre os membros da família. Neste mundo onde há telas por todos os lados, você precisa lutar para manter vivas e saudáveis as suas conexões emocionais.

Minha amiga (de Arlene) Jody, mãe de quatro filhos, percebeu que precisava mudar as regras relacionadas ao tempo diante das telas em sua casa, não apenas para os filhos, mas também para ela própria. Decidiu tentar um "detox digital" por alguns dias e fez estas observações:

> Mesmo depois de um dia apenas, as crianças ficaram mais calmas e mais aptas a uma conversa mais profunda umas com as outras. O impulso de acessar Minecraft, My Little Pony, YouTube, Google etc. estava minando a capacidade de sentirem empatia. Com toda a sinceridade, eu também tive de me controlar. Sinto vontade de jogar meu celular pela janela porque fico verificando *e-mails* e me pego postando coisas no Pinterest, no Facebook ou no Instagram. Isso me tira a atenção e me deixa improdutiva, o que é completamente o oposto do que eu deveria

ser. É uma armadilha, e não quero que meus filhos se lembrem de mim como uma pessoa sem foco.

Que orientações digitais ajudariam você a fazer melhor uso do seu tempo diante das telas? Os "sábados" digitais, quando você se afasta delas? Um tempo mais reduzido à noite? Uma caixa para depositar o celular na hora das refeições? Cada pessoa é de um jeito, portanto elabore um plano que se encaixe na agenda e nas prioridades de sua família. Mas estabeleça regras específicas, ou correrá o risco de perder horas preciosas *on-line* quando poderia estar criando vínculos permanentes com seu cônjuge ou filhos.

Se você é casado, lembre-se de que seus filhos sabem muito bem como você trata seu cônjuge, e vice-versa, na questão da tecnologia. Ambos estão preocupados com as telas ou conversam, riem juntos e trocam carinhos? Você atende uma ligação mesmo quando está no meio de uma conversa importante? Se seu celular tem mais prioridade que seu cônjuge em termos de tempo e atenção, alguma coisa está errada.

Às vezes o marido e a esposa não concordam com as regras de tempo diante da televisão para eles próprios ou para os filhos. Trata-se de um problema comum, não apenas em relação à tecnologia, mas também em muitos aspectos da vida. Duas pessoas nem sempre entram num acordo. O marido e a esposa precisam ouvir um ao outro com empatia, tentando entender o que o cônjuge quer dizer. Digam palavras de afirmação um ao outro: "Entendo o que você está dizendo. Será que podemos encontrar um meio-termo?".

Talvez um de vocês ache que três horas seja um bom limite e o outro ache que duas horas sejam suficientes. Então, estabeleçam o limite de duas horas e meia. Procurem regras que ambos possam seguir e sejam coerentes para não transformar essas decisões num campo de batalha. Se você não souber resolver o conflito dentro do casamento, seus filhos terão dificuldade em resolver conflitos no futuro. É extremamente importante que as crianças vejam os pais entrarem em acordo a respeito do tempo diante das telas e outros assuntos.

Adeus à babá eletrônica

Por fim, talvez você esteja pronto para fazer mudanças em relação a seu tempo diante das telas, mas não está pronto para abrir mão da babá eletrônica de seus filhos. Neil, pai de dois meninos de 2 e 4 anos, confia na televisão para entreter os garotos depois que ele volta do trabalho para casa. A esposa trabalha à noite, e ele precisa de um tempo para desligar-se das atividades do dia e preparar o jantar. "Quando os meninos estão na frente da televisão, ficam em silêncio e calmos. Devo confessar que ela é uma excelente babá quando precisamos de uma."

É mais fácil, é claro, permitir que os filhos fiquem horas na frente da televisão do que proporcionar atividades alternativas ou controlar o comportamento deles. Mas o caminho mais fácil nem sempre é o melhor. Que resultados uma babá eletrônica pode produzir, comparada a um pai ou mãe participativo e proativo? Aquilo que você faz nos primeiros dezoito anos de vida de seu filho é fundamental para fazer dele um adulto saudável. Seu investimento como pai ou mãe renderá enormes dividendos na vida de seu filho, principalmente entre os 18 e os 35 anos.

Nós nos solidarizamos com os pais que estão fazendo o que podem e escolhem ao menos resistir diante do desespero. Muitas famílias, porém, estão seguindo o caminho mais fácil da dependência digital, e os resultados na sociedade serão negativos. Há um número imenso de adolescentes deprimidos, sexualmente ativos, viciados em drogas e rebeldes em relação às autoridades. Como pai ou mãe, você precisa propor em seu coração lutar contra os efeitos negativos do tempo diante das telas e das babás eletrônicas.

Comece com um exame sincero do tempo que você passa diante das telas e do tempo que passa com seus filhos. Os pais que verificam e usam celulares e *tablets* constantemente na presença dos filhos contribuem para o tempo excessivo deles diante das telas. Você tem em mãos a oportunidade de ouro de ensinar a seu filho como dominar o tempo diante das telas — aprendendo a dominar o seu.

Para refletir

1. Você concorda com a afirmação: "Creio que o efeito mais destrutivo do mundo digital é a dependência que os próprios pais têm da mídia digital, porque essa dependência passará a ser a dependência dos filhos"?
2. Seu filho sabe que passar tempo com ele é mais importante para você do que acompanhar as redes sociais ou responder a *e-mails*?
3. Descreva o uso que você faz dos aparelhos eletrônicos num dia comum. Você ficaria satisfeito se seu filho crescesse imitando seu exemplo?
4. Com exceção das horas que passa trabalhando, você se sente confortável para desconectar-se da tecnologia e não atender ligações nem checar *e-mails* durante certos períodos?
5. Se fosse obrigado a ficar sem nenhuma conexão digital por uma semana, você se sentiria aliviado, indiferente ou totalmente estressado?

6. Quando você se desliga do celular?
7. Cite algumas atitudes positivas que você tomou para limitar seu tempo diante das telas e apreciar mais os momentos com a família.
8. Que tipo de "sábado digital" você gostaria de criar para sua família?
9. Você está pronto para dizer adeus à babá eletrônica? Como pode ser mais proativo como pai ou mãe e menos dependente dos *video games* e dos programas de televisão para dar mais atenção a seu filho?

UM CONTO DE DOIS LARES

> "A juventude não costuma pensar no futuro longínquo. Há amanhãs maravilhosos à frente, e precisamos encorajar nossos filhos a sonhar com eles."
>
> HENRIETTA C. MEARS

Jill e Elena eram vizinhas na infância. A diferença de idade era de meses, e elas passavam horas incontáveis brincando ao ar livre, andando de bicicleta e patinete, pulando corda e inventando jogos. Mas, depois que ganhou um *tablet* ao completar 7 anos, Jill começou a jogar virtualmente por mais tempo e brincar menos tempo ao ar livre. Em questão de meses, Jill parecia uma garota completamente diferente.

Elena continuou a bater à porta da casa de Jill, mas a resposta era sempre a mesma: "Sinto muito, Jill está ocupada jogando no *tablet*. Talvez ela saia mais tarde para brincar". O mais tarde, porém, nunca chegava.

Embora a mãe de Jill dissesse em tom de brincadeira que estava perdendo a filha para os *video games*, no fundo ela se preocupava. Sabia que infância não significa uma menina grudada a um *tablet* por quatro ou cinco horas todos os dias, totalmente entregue aos *games*. Ela tentou fazer Jill parar, mas a menina gritou e deu murros na mesa, exigindo o *tablet* de volta. A mãe não sabia o que fazer. Não tinha energia para brigar com a filha o tempo todo.

Do outro lado da rua, Elena tinha permissão para passar trinta minutos diante da tela vendo *sites* educativos no fim de semana e, durante a semana, nas duas noites em que não treinava futebol. Elena encontrou outras crianças na vizinhança para brincar com ela. Era uma menina tranquila e fez novas amigas rapidamente, embora sentisse falta de brincar com Jill. Os aparelhos eletrônicos não eram importantes na vida de Elena, e ela não entendia por que Jill não saía de casa nos fins de semana.

A história desses dois lares está sendo escrita neste momento. Como a tecnologia moldará a vida de Jill e Elena depois de adultas? Essas duas garotas do mesmo bairro estão tomando rumos muito diferentes.

Quem toma conta do castelo?

Há um artigo sobre o qual meu marido, James, adora trocar ideias com pais dispostos a ouvi-lo. Trata-se de um texto publicado no *Wall Street Journal* chamado "Um passeio no *think tank* ambulante do papai". No artigo, o autor contrasta o passeio de carro de ontem com o passeio de carro de hoje.

> Na geração de meu pai, o carro do homem era seu castelo. E os filhos eram sua plateia cativa. Ouvíamos as músicas que ele escolhia. Respondíamos às perguntas que ele fazia. [...] Hoje tenho filhos, mas não dirijo um *think tank*. Dirijo apenas um *tank* [tanque]. É uma *minivan*, mas não há nada de *mini* nela. Eu a chamo de Maxivan, ou melhor, as crianças a chamam de Maxivan. Veja, elas pensam que a Maxivan é delas, não minha. E não estão erradas.[1]

James decidiu há muito tempo que não queria ficar preso em sua *minivan* com desenhos infantis e canções intermináveis com rima. Voltaria a assumir o controle de seu carro. A música das crianças foi sumariamente substituída por conversas e biografias em *audiobooks*. A *van* da família transformou-se numa universidade sobre rodas, com o papai voltando a ser o rei do castelo. A questão não é saber se você quer ou não quer ouvir material educativo. A questão é que você pode ouvir o que escolher porque o carro é *seu*, não de seu filho. Está na hora de voltar a assumir o controle de seu carro, o que implica também voltar a assumir o controle de sua casa, livrando-a da tecnologia que você não quer lá dentro.

Você é o pai ou a mãe ao volante, que decide a direção de sua família. Se pegar o caminho menos percorrido, seguirá contra a corrente deste mundo movido a telas. Seu filho não precisa ter um celular como todos os colegas dele têm. Seu filho não precisa saber jogar o *video game* da moda. As referências à cultura *pop* podem passar ao largo da cabeça de seu filho.

E o que seu filho ganhará se o impacto das telas for reduzido ao mínimo na vida dele? Libertação do vício, relacionamentos familiares mais fortes, empatia, raciocínio crítico e paciência, entre outras coisas. A estrada deslumbrante das telas como entretenimento talvez seja mais popular e conveniente, mas o tempo diante delas não produz o caráter e os relacionamentos de qualidade que a maioria dos pais deseja aos filhos.

Quando meus filhos (de Gary) eram crianças, estabelecemos uma regra de no máximo trinta minutos por dia diante da televisão. Isso foi há muito tempo, na época em que as telas não prevaleciam dentro dos lares. Mas aquele limite de tempo foi importante, porque meus filhos teriam passado horas e horas na frente da televisão se minha esposa, Karolyn, e eu não tivéssemos elaborado um plano.

Os mesmos princípios que nortearam nossa casa décadas atrás continuam válidos. A família unida de ontem pode ser sua realidade na era digital de hoje. Quando temos um propósito e um plano, o tempo diante das telas pode ser um modo maravilhoso de unir a família. Mas, se deixada como uma atividade padrão, a tecnologia sempre roubará de sua família o tempo de qualidade e as lembranças compartilhadas.

Então, que espécie de lar você deseja criar? Um lar centrado nas telas ou um lar centrado nas pessoas? Se escolher a última opção, seu lar será completamente diferente da média dos lares movidos a aparelhos eletrônicos. Seu lar será como um castelo no alto do monte, proporcionando luz não apenas para seus filhos, mas também para o mundo.

Para refletir

1. Descreva um típico passeio de carro com sua família. Alguém usa fones de ouvido? É permitido ver filmes? Há conversa entre vocês?
2. O que você pensa agora sobre o tempo diante das telas depois de ler este livro?
3. O que se destacou como importante e relevante para sua família?
4. Que mudanças sobre o tempo diante das telas você pôs em prática ou planeja pôr em prática?
5. Seu filho resistiu às mudanças? Se sim, como você lidou com o problema?
6. Que resultados positivos sua família ganhará se você estabelecer um bom plano quanto ao uso dos aparelhos eletrônicos e colocá-lo em prática?

DESENVOLVIMENTO DA SOCIABILIDADE POR IDADES E ESTÁGIOS

Crianças de 1 a 3 anos

Falam frases completas de três a cinco palavras.

Seguem orientações simples.

Gostam de ajudar nas tarefas domésticas.

Não cooperam nem compartilham de forma satisfatória.

Começam a notar o humor e os sentimentos das outras pessoas.

Crianças de 4 a 5 anos

Usam um vocabulário de 1.500 palavras.

Falam frases relativamente complexas.

Sabem esperar sua vez, compartilham e cooperam.

Conseguem expressar raiva verbalmente, não apenas fisicamente.

Gostam de brincar de faz de conta e de vestir roupas diferentes.

Imitam os adultos e querem elogios.

Os amigos passam a ser mais importantes.

Crianças de 6 a 9 anos

Conscientizam-se das próprias emoções e conseguem sentir empatia pelos outros.
Usam interações face a face para entender o que os outros estão sentindo.
Conseguem entender insinuações não verbalizadas.
São mais cooperadoras e carinhosas.
São curiosas a respeito das pessoas e anseiam fazer amigos.
Sabem a diferença entre precisar e querer.
São voltadas para a família.
Buscam aprovação dos pais/adultos.

Crianças de 10 a 12 anos

Preferem brincar com crianças do mesmo sexo.
São mais propensas a melancolia.
Sofrem influência dos colegas.
São leais a grupos e turmas.
Gostam de usar linguagem codificada.
Desenvolvem habilidades para tomar decisões.
Necessitam de envolvimento com adultos que se preocupam com elas.

TESTE: SEU FILHO PASSA TEMPO EXAGERADO DIANTE DAS TELAS?

As questões simples a seguir podem ajudar a determinar se o tempo diante das telas está prejudicando ou não a saúde geral de seu filho. Marque cada questão usando a seguinte classificação:

0 = Nunca ou raramente
1 = De vez em quando
2 = Geralmente
3 = Sempre

_____ Seu filho se irrita quando você pede que ele saia da frente da tela para jantar ou realizar outra atividade.

_____ Seu filho pede que você compre um aparelho digital, como um *tablet*, mesmo depois de você ter dito não.

_____ Seu filho tem dificuldade de terminar o dever de casa porque está ocupado vendo televisão ou jogando *video game*.

_____ Seu filho recusa-se a ajudar nas tarefas domésticas porque prefere brincar com aparelhos eletrônicos.

_____ Seu filho pede para jogar *video game* ou brincar com outra atividade diante da tela depois de você ter negado.

_____ Seu filho não pratica atividades físicas por ao menos uma hora ao dia.

_____ Seu filho não faz contatos visuais frequentes com outras pessoas da família.

_____ Seu filho prefere jogar *video game* a brincar ao ar livre com os amigos.

_____ Seu filho não gosta de nada que não inclua aparelhos eletrônicos.

_____ Quando você proíbe o uso de aparelhos eletrônicos por um dia, seu filho fica irritado e manhoso.

Se a pontuação for:

De 10 para baixo: Seu filho não parece passar muito tempo diante das telas. Ele é capaz de exercer controle e atuar dentro dos limites.

De 11 a 20: Seu filho pode estar muito dependente das telas. Você deve monitorar esse tempo com mais critério e vigiar para que ele diminuía o contato com os aparelhos eletrônicos.

De 21 a 30: Seu filho parece estar viciado em aparelhos eletrônicos. Recorra a um conselheiro, pastor ou pai/mãe que você respeite para receber orientação.

NOTAS

Introdução

[1] Douglas Gentile e David Walsh, *A Normative Study of Family Media Habits* (Minneapolis, MN: National Institute on Media and the Family, 2002), citado em Keep Connected, "E-Parenting: Media and Advertising", <https://keepconnected.searchinstitute.org/>.

[2] Andy Andrews, *The Noticer* (Nashville, TN: Thomas Nelson, 2011), p. 111.

Capítulo 1

[1] American Academy of Pediatrics, "Policy Statement: Media Use by Children Younger than 2 Years", *American Academy of Pediatrics* (2011), <https://pediatrics.aappublications.org/content/128/5/1040>. Acesso em 30 de julho de 2019.

[2] K. Nelson, "Structure and Strategy in Learning to Talk", *Monographs of the Society for Research in Child Development*, 38, nº 1-2 (1973), p. 1-35; e D. L. Linebarger e D. Walker, "Infants' and Toddlers' Television Viewing and Language Outcomes", *American Behavioral Scientist*, 48, nº 5 (2005), p. 624-645.

[3] F. J. Zimmerman, D. A. Christakis e A.N. Meltzoff, "Television and DV/Video Viewing in Children Younger than 2 Years", *Archives of Pediatric and Adolescent Medicine*, 161, nº 5 (2007), p. 473-479.

[4] E. A. Vandewater et al., "When the Television Is Always On", *American Behavioral Scientist*, 48, nº 5 (2005), p. 562-577.

[5] M. E. Schmidt et al., "The Effects of Background Television on the Toy Play Behavior of Very Young Children", *Child Development*, 79, nº 4 (2008), p. 1137-1151.

[6] V. J. Rideout e E. Hamel, *The Media Family: Electronic Media in the Lives*

of Infants, Toddlers, Preschoolers, and Their Parents (Menlo Park, CA: Kaiser Family Foundation, 2006).

[7] V. J. Rideout, U. G. Foehr e D. F. Roberts, "Generation M2: Media in the Lives of 8- to 18-Year-Olds", Henry J. Kaiser Family Foundation, 20 de janeiro de 2010, <https://www.kff.org/other/event/generation-m2-media-in-the-lives-of/>. Acesso em 30 de julho de 2019.

[8] "Too Much 'Screen Time' for Kids Could Cause Long-Term Brain Damage, Warn Experts", *Huffington Post UK*, 22 de maio de 2012, <https://www.huffingtonpost.co.uk/2012/05/21/parenting-tv-time-bad-health-children_n_1533244.html>. Acesso em 30 de julho de 2019.

[9] American Heart Association, "Many Teens Spend 30 Hours a Week on 'Screen Time' during High School", *Science Daily*, 14 de março de 2008, <https://www.sciencedaily.com/releases/2008/03/080312172614.htm>. Acesso em 30 de julho de 2019.

[10] Dra. Kathy Koch, "Parenting Tech-Savvy Chldren: Negative Effects of Digital Technology", Hearts at Home Conference, 2013.

[11] American Academy of Pediatrics, "Media and Children Communication Toolkit", <https://www.aap.org/en-us/advocacy-and-policy/aap-health-initiatives/Pages/Media-and-Children.aspx>. Acesso em 30 de julho de 2019.

[12] A. O. Scott e Manohla Dargis, "Big Bang Theories: Violence on Screen", *New York Times*, 28 de fevereiro de 2013, <https://www.nytimes.com/interactive/2013/03/03/arts/critics-on-violence-in-media.html>. Acesso em 30 de julho de 2019.

Capítulo 2

[1] National Center of Biotechnology Information, U.S. National Library of Medicine, pesquisa realizada em 1º de janeiro de 2014, citada em "Attention Span Statistics", Statistic Brain.com, <https://www.statisticbrain.com/attention-span-statistics/>. Acesso em 30 de julho de 2019.

Capítulo 3

[1] Mary Bellis, "The Invention of Television", ThoughtCo., <https://www.thoughtco.com/the-invention-of-television-1992531>. Acesso em 30 de julho de 2019.

[2] Rideout e Hamel, *The Media Family*.

[3] Shane Hipps, *Flickering Pixels* (Grand Rapids, MI: Zondervan, 2009), p. 183.

[4] Gwen Schurgin O'Keefe e Kathleen Clarke-Pearson, para a American

Academy of Pediatrics, "The Impact of Social Media on Children, Adolescents, and Families", *Pediatrics Digest*, 28 de março de 2011, <https://pediatrics.aappublications.org/content/127/4/800>. Acesso em 30 de julho de 2019.

[5] Diane Swanbrow, "Empathy: College Students Don't Have as Much as They Used to", *MichiganNews*, University of Michigan, 27 de maio de 2010, <https://news.umich.edu/empathy-college-students-don-t-have-as-much-as-they-used-to/>. Acesso em 30 de julho de 2019.

[6] The American Academy of Pediatrics, "Media Education", *Pediatrics*, 27 de setembro de 2010, <https://pediatrics.aappublications.org/content/104/2/341>. Acesso em 30 de julho de 2019.

[7] Anita Chandra et al., para American Academy of Pediatrics, "Does Watching Sex on Television Predict Teen Pregnancy?", *Pediatrics Digest*, 1º de novembro de 2008, <https://www.ncbi.nlm.nih.gov/pubmed/18977986>. Acesso em 30 de julho de 2019.

[8] The National Campaign to Prevent Teen and Unplanned Pregnancy, *Sex and Tech: What's Really Going On* (Washington, DC: National Campaign to Prevent Teen and Unplanned Pregnancy, 2013), <www.thenationalcampaign.org>.

[9] Jocelyn Green, entrevista por *e-mail*, 4 de setembro de 2013.

Capítulo 4

[1] Shawn Archor, *The Happiness Advantage* (Nova York: Crown Business, 2010), p. 7.

[2] Melinda Beck, "Thank You. No, Thank You: Grateful People Are Happier, Healthier Long after the Leftovers Are Gobbled Up", *Wall Street Journal*, 23 de novembro de 2010, <https://www.wsj.com/articles/SB1000142405 2748704243904575630541486290052>. Acesso em 30 de julho de 2019.

[3] C. Nathan DeWall et al. "A Grateful Heart Is a Nonviolent Heart: Cross-Sectional, Experience Sampling, Longitudinal, and Experimental Evidence", *Social Psychological & Personality Science*, vol. 3, nº 2, março de 2012, p. 232-240, <https://psycnet.apa.org/record/2012-03207-014>. Acesso em 30 de julho de 2019.

[4] Eun Kyung Kim, "Teen Uses Tweets to Compliment His Classmates", *Today News*, 8 de janeiro de 2013, <https://www.nbcnews.com/news/other/teen-uses-tweets-compliment-his-classmates-v16412195>. Acesso em 30 de julho de 2019.

Capítulo 5

[1] The American Academy of Pediatrics, "Media Education", *Pediatrics*, 27 de setembro de 2010, <https://pediatrics.aappublications.org/content/104/2/341>. Acesso em 30 de julho de 2019.

[2] M. E. Hamburger et al., *Measuring Bullying Victimization, Perpetration, and Bystander Experiences: A Compendium of Assessment Tools* (Atlanta, GE: Centers for Disease Control and Prevention, National Center for Injury Prevention and Control, 2011), <https://www.cdc.gov/violenceprevention/pdf/bullycompendium-a.pdf>. Acesso em 30 de julho de 2019.

Capítulo 6

[1] Este capítulo baseia-se em *As 5 linguagens do perdão*, 2ª ed. (São Paulo: Mundo Cristão, 2019).

Capítulo 7

[1] Statistic Brain, "Attention Span Statistics".

[2] Nicholas Carr, *The Shallows: What the Internet Is Doing to Our Brains* (Nova York: W. W. Norton, 2011), p. 87. [Disponível em português sob o título *A geração superficial: O que a internet está fazendo com os nossos cérebros*. Rio de Janeiro: Agir, 2011.]

[3] Kendra Cherry, "What's the Best Predictor of School Success?" About.com Psychology, 2 de março de 2009, <http://psychology.about.com>.

[4] Kathryn Zickuhr, "In a Digital Age, Parents Value Printed Books for Their Kids", *Pew Internet & American Life Project*, 28 de maio de 2013, <https://www.pewresearch.org/fact-tank/2013/05/28/in-a-digital-age-parents-value-printed-books-for-their-kids/>. Acesso em 30 de julho de 2019.

[5] Carr, *The Shallows*, p. 116.

[6] Rutherford Elementary School, "Reading at Home", 11 de fevereiro de 2014, <http://rutherford.jefferson.kyschools.us>.

[7] American Academy of Pediatrics, "Video Games Linked to Attention Problems in Children", 5 de julho de 2010, < https://www.aap.org/en-us/about-the-aap/aap-press-room/pages/Video-Games-Linked-to-Attention-Problems-in-Children.aspx>. Acesso em 30 de julho de 2019.

[8] Bob Sullivan e Hugh Thompson, "Brain Interrupted", *New York Times*, 3 de maio de 2013, <https://www.nytimes.com/2013/05/05/opinion/sunday/a-focus-on-distraction.html>. Acesso em 30 de julho de 2019

[9] Christine Rosen, "The Myth of Multitasking", *New Atlantis*, primavera

de 2008, <https://www.thenewatlantis.com/publications/the-myth-of-multitasking>. Acesso em 30 de julho de 2019.

[10] Idem.

[11] Idem.

[12] Statistic Brain, "Attention Span Statistics".

[13] Sullivan e Thompson, "Brain Interrupted", *New York Times*.

[14] Kenneth R. Ginsburg et al., American Academy of Pediatrics, "The Importance of Play in Promoting Healthy Child Development and Maintaining Strong Parent-Child Bonds", *Pediatrics*, 1º de janeiro de 2007, <https://pediatrics.aappublications.org/content/119/1/182>. Acesso em 30 de julho de 2019.

[15] Carr, *The Shallows*, p. 219.

Capítulo 8

[1] M. Burstein et al., "Shyness versus Social Phobia in U.S. Youth", *Pediatrics*, novembro de 2011, <https://www.ncbi.nlm.nih.gov/pmc/articles/PMC3208958/>. Acesso em 30 de julho de 2019.

[2] Mayo Clinic, "Children and TV: Limiting Your Child's Screen Time", Mayo Clinic E-Newsletter, 16 de agosto de 2013, <http://www.mayoclinic.com/health/children-and-tv/MY00522>. Acesso em 30 de julho de 2019.

[3] Marla E. Eisenberg et al., "Correlations between Family Meals and Psychosocial Well-being among Adolescents", *JAMA Pediatrics*, agosto de 2004, <https://jamanetwork.com/journals/jamapediatrics/fullarticle/485781>. Acesso em 30 de julho de 2019.

[4] Centers for Disease Control and Prevention, "Childhood Obesity Facts", 10 de julho de 2013, <https://www.cdc.gov/obesity/data/childhood.html>. Acesso em 30 de julho de 2019.

[5] Dra. Sue Hubbard, "Kids, Media, and Obesity: Too Much 'Screen Time' Can Harm Your Child's Health", *Chicago Tribune*, 30 de setembro de 2013.

Capítulo 9

[1] Kurt W. Fischer et al., "Inside the Teenage Brain", *Frontline*, WTTW: Chicago, 2002, <https://www.pbs.org/wgbh/pages/frontline/shows/teenbrain/>. Acesso em 30 de julho de 2019.

[2] John Bruer, "Interview", *Frontline*, WTTW: Chicago, 2002, <https://www.pbs.org/wgbh/pages/frontline/shows/teenbrain/interviews/giedd.html>. Acesso em 30 de julho de 2019.

[3] Carr, *The Shallows*, p. 121.

[4] Matt Richtel, "Silicon Valley School Sticks to Basics, Shuns High-Tech Tools", *New York Times*, 23 de outubro de 2011.

[5] Eun Kyung Kim, "Bill Gates: My Kids Get Cell Phone at Age 13", *Today News*, 30 de janeiro de 2013, <https://www.nbcnews.com/news/other/bill-gates-my-kids-get-cell-phone-age-13-v16771206>. Acesso em 30 de julho de 2011.

[6] Dr. Archibald D. Hart e dra. Sylvia Hart Frejd, *The Digital Invasion: How Technology Is Shaping You and Your Relationships* (Grand Rapids, MI: Baker, 2013), p. 60.

[7] Carr, *The Shallows*, p. 51.

[8] Idem, p. 77.

[9] Chealsea Clinton e James P. Steyer, "Is the Internet Hurting Children?", *CNN Opinion*, 21 de maio de 2012, <https://edition.cnn.com/2012/05/21/opinion/clinton-steyer-internet-kids/index.html>. Acesso em 30 de julho de 2019

[10] Hart e Frejd, *The Digital Invasion*, p. 63.

[11] Jenn Savedge, "Is Your Child Addicted to Screens?", Mother Nature Network, 12 de agosto de 2013, <https://www.thestar.com/life/2013/08/12/is_your_child_addicted_to_screens.html>. Acesso em 30 de julho de 2019.

[12] BBC News, "S. Korean Dies after Games Session", 10 de agosto de 2005, <http://news.bbc.co.uk/2/hi/technology/4137782.stm>. Acesso em 30 de julho de 2019.

[13] Hart e Frejd, *The Digital Invasion*, p. 124.

[14] Kayt Sukel, "Playing Video Games May Make Specific Changes to the Brain", Dana Foundation News, 9 de janeiro de 2012, <http://www.dana.org/News/Details.aspx?id=43201>. Acesso em 30 de julho de 2019.

[15] Carr, *The Shallows*, p. 32.

[16] Hart e Frejd, *The Digital Invasion*, p. 65.

[17] R. Morgan Griffin, "Your Kid's Brain on Exercise", WebMD, 8 de maio de 2013, <https://www.webmd.com/parenting/raising-fit-kids/move/features/kid-brain-exercise#1>. Acesso em 30 de julho de 2019.

[18] Benjamin Carson, Brainyquote.com, <https://www.brainyquote.com/authors/ben_carson>. Acesso em 30 de julho de 2019.

Capítulo 11

[1] Nanci Helmich, "Death of a Florida Girl Is a Wake-up Call for Parents",

USA Today, 16 de outubro de 2013, <https://www.usatoday.com/story/news/nation/2013/10/15/cyberbullying-parents-internet-guide/2988651/>. Acesso em 30 de julho de 2019.

[2] i-SAFE, "Cyber Bullying: Statistics and Tips", dados de 2004, <https://www.isafe.org/outreach/media/media_cyber_bullying>. Acesso em 30 de julho de 2019.

[3] Peter Brust et al. "Growing Up Online", *Frontline*, 22 de janeiro de 2008, <https://www.pbs.org/wgbh/pages/frontline/kidsonline/>. Acesso em 30 de julho de 2019.

[4] Idem.

[5] Idem.

[6] Britney Fitzgerald. "Facebook Age Requirement", *Huffington Post*, 30 de novembro de 2012, <https://www.huffpostbrasil.com/2012/11/30/facebook-age-requirement-lying-study_n_2213125.html>. Acesso em 30 de julho de 2019.

[7] Daily Infographic, "The Stats on Internet Pornography", 4 de janeiro de 2013, <https://www.dailyinfographic.com/the-stats-on-internet-pornography-infographic>. Acesso em 30 de julho de 2019.

[8] V. J. Rideout, U. G. Foehr e D. F. Roberts, "Generation M2: Media in the Lives of 8- to 18-Year-Olds", Henry J. Kaiser Family Foundation, 20 de janeiro de 2010, <https://www.kff.org/other/event/generation-m2-media-in-the-lives-of/>. Acesso em 30 de julho de 2019.

Capítulo 12

[1] Dan Kloeffler e Nick Poppy, "Bill Cosby: 'I Wanted to Take the House Back' from Kids", *Newsmakers*, 15 de junho de 2013, <https://news.yahoo.com/blogs/newsmakers/bill-cosby-wanted-house-back-kids-201107866.html>. Acesso em 30 de julho de 2019.

Capítulo 13

[1] Jonathan Vespa et al., "America's Families and Living Arrangements: 2012", agosto de 2013, <https://www.census.gov/prod/2013pubs/p20-570.pdf>. Acesso em 30 de julho de 2019.

[2] Mayo Clinic, "Children and TV: Limiting Your Child's Screen Time", 16 de agosto de 2013, <https://www.mayoclinic.org/healthy-lifestyle/childrens-health/in-depth/screen-time/art-20047952?reDate=31072019>. Acesso em 30 de julho de 2019.

[3] Rideout e Hamel, *The Media Family*.

Capítulo 14

[1] Pastor universitário, citado em Hart e Frejd, *Digital Invasion*, p. 30.
[2] James Fallows, "Linda Stone on Maintaining Focus in a Maddeningly Distractive World", *Atlantic*, 23 de maio de 2013, <https://www.theatlantic.com/national/archive/2013/05/linda-stone-on-maintaining-focus-in-a-maddeningly-distractive-world/276201/>. Acesso em 30 de julho de 2019.
[3] Dallas Theological Seminary, "Howard Hendricks Tribute", fevereiro de 2013, <https://www.dts.edu/howard-hendricks-tribute/>. Acesso em 30 de julho de 2019.
[4] Beth Teitell, "Dad, Can You Put Away the Laptop?", *Boston Globe*, 8 de março de 2012, <http://archive.boston.com/lifestyle/articles/2012/03/08/in_reversal_kids_now_nag_parents_to_step_away_from_their_phones_tablets_and_laptops/>. Acesso em 30 de julho de 2019.
[5] Beth Kassab, "Are You Addicted to Your Smartphone?", *Orlando Sentinel*, 25 de novembro de 2013, <https://www.orlandosentinel.com/opinion/os-xpm-2013-11-25-os-disconnect-smartphones-beth-kassab-20131125-story.html>. Acesso em 30 de julho de 2019.
[6] Pew Research, "Mobile Tecnology Fact Sheet", Pew Research Internet Project, 27 de dez. de 2013, <http://blog.kdinteractive.com/wp-content/uploads/2015/03/mobile-technology-fact-sheet>. Acesso em 30 de julho de 2019.
[7] William Powers, *Hamlet's Black Berry: A Pratical Philosophy for Building a Good Life in the Ditital Age* (Nova York: Harper, 2010), p. 228, 229, 230, 231. [Disponível em português sob o título *O BlackBerry de Hamlet: Filosofia prática para viver bem na era digital*. São Paulo: Alaúde, 2012.]
[8] Dan Ariely, "Ask Ariely: On Pointless Gaming, topics and Teachers, and Getting Over It", *Wall Street Journal*, 23 de novembro de 2013, <https://www.wsj.com/articles/no-headline-available-1384974968?tesla=y>. Acesso em 30 de julho de 2019.

Conclusão

[1] Dan Zevin, "A Ride in Dad's Traveling Think Tank", *Wall Street Journal*, 16 de julho de 2012, <https://www.wsj.com/articles/SB10001424052702303740704577522852122129894>. Acesso em 30 de julho de 2019.

Compartilhe suas impressões de leitura,
mencionando o título da obra, pelo e-mail
opiniao-do-leitor@mundocristao.com.br
ou por nossas redes sociais

Esta obra foi composta com tipografia Adobe Caslon Pro
e impressa em papel Pólen Natural 70 g/m² na gráfica Assahi